Ulla Göransson Annika Helander Mai Parada

På svenska! 2

Svenska som främmande språk

LÄROBOK

Folkuniversitetets förlag

Folkuniversitetets förlag
Magle Lilla Kyrkogata 4
SE-223 51 Lund   Sweden
Tel. +46 46 148720   Fax +46 46 132904

■■■ anger att texten är inspelad

Granskare: Marie Andersson
Omslag och illustrationer: Per Silfverhjelm
Karta (omslag): Stig Söderlind

Första upplagan
© 2002 Ulla Göransson, Annika Helander, Mai Parada och Folkuniversitetets förlag
ISBN 91-7434-462-5

Printed in Sweden by Kristianstads Boktryckeri AB, Kristianstad 2004

Förord

På SVENSKA! 2 är en fortsättningsbok till nybörjarmaterialet *På svenska!*. Den vänder sig till studerande som redan har baskunskaper i svenska. Tillsammans med kassettbanden/cd:n lämpar sig också materialet för självstudier.

PÅ SVENSKA! består av
- lärobok
- övningsbok
- kassettband/cd.

Lärobokens tio avsnitt tar upp såväl aktuella samhällsteman som svensk historia och kultur. Genom diskussionsfrågor och statistik som ansluter till avsnittets tema övas förmågan att uttrycka sig muntligt. För skrivträningen finns flera förslag till uppsatsämnen. Varje avsnitt avslutas med en hörförståelseövning. Ordförrådet lärs in och repeteras på olika sätt både i läroboken och övningsboken.
   Läroboken avslutas med en alfabetisk ordlista där det förutom ordets olika former även finns en del uttryck, verbfraser och partiklar.

Grammatiken ger en fördjupning av den basgrammatik som ingår i *På svenska!*. En grammatisk översikt i slutet av övningsboken innehåller scheman samt förklaringar till nya moment.

Övningsboken, som följer lärobokens indelning, innehåller övningar på den aktuella grammatiken samt repetitionsövningar. Separat facit finns.

På svenska! 2 har ett ordförråd på cirka 2 000 ord och motsvarar nivå B1 på Europarådets nivåskala.

Vi vill tacka alla dem som på olika sätt bidragit med goda råd och synpunkter under arbetet med boken.

Författarna

Innehåll

1. Hur lär du dig ett nytt språk?

Alla som börjar studera ett nytt språk har olika idéer om hur man bäst lär in ord, uttal och grammatiska strukturer. Man vill ju så snabbt som möjligt kunna använda sitt nya språk. Så här svarade några svenskstuderande när vi frågade vilka knep de har.

Bibi:
Jag skriver listor med ord. Det svenska ordet till vänster och det tyska till höger.
Sen viker jag papperet på mitten och översätter fram och tillbaka. Jag lär mig bäst när jag lyssnar på musik.

Pavel:
Jag lyssnar mycket på svensk radio, på språkets melodi. Sen härmar jag språket som en papegoja. Ett språk är inte bara nya ord.

Lolo:
Grammatiken är viktigast för mig. Jag måste förstå skillnaden mellan olika språk. Jag älskar att göra grammatiska övningar, särskilt verbövningar. Det borde finnas massor av sådana i alla läroböcker! Det måste vara tyst när jag pluggar.

Tom:

Jag skriver ord och meningar på små kort, som jag alltid har i fickan. På den ena sidan står det svenska uttrycket, och på den andra sidan det motsvarande engelska. Jag tar upp korten flera gånger om dagen, i bussen, på biblioteket, när jag har tråkigt ...

Sofia:

Jag berättar texten högt för mig själv. Efter det ställer jag frågor till mig själv på texten – som en lärare – och svarar på dem. Jag lär mig bäst framför spegeln i badrummet. Jag spelar teater på svenska, kan man säga. Så skulle jag aldrig våga göra i klassen.

Mimi:

Det tråkigaste med att lära sig ett nytt språk är att man behandlas som ett barn. Vad är det? Det är ett hus. Dumt! Jag vill lära mig språket på min nivå. Kanske börja med att läsa en intressant roman. Nu måste jag själv konstruera vad jag vill säga och använda mitt lexikon flitigt.

DISKUTERA: Vad tycker du om studenternas sätt att arbeta? Hur lär du dig ett nytt språk?

UPPSATS: Mina bästa tips på hur jag lär mig ett nytt språk.

Vem talar svenska?

▪▪▪ Till ytan är Sverige ett av de största länderna i Europa, men landet har bara knappt
9 miljoner invånare. Det officiella språket är svenska, som är ett av de minsta
språken inom EU. Men om man räknar världens alla språk är svenska ett av de
60–70 största.

Svenska är ett germanskt språk och tillhör den indoeuropeiska språkfamiljen.
Nordiska språk talar man i Sverige, Norge, Danmark, Island och på Färöarna. Efter-
som de nordiska språken är släkt med varandra, kan danskar, norrmän och svenskar
mer eller mindre förstå varandra. Finska tillhör en annan språkfamilj, finsk-ugriska
språk, och liknar inte alls de övriga språken. Men i Finland talar också en del av
befolkningen svenska.

Många läser svenska vid universitet och skolor i andra länder, främst i USA
och Tyskland men också i länder som Ryssland, Kina och Japan. Flera tusen utbytes-
studenter deltar i kurser i svenska vid olika universitet i Sverige varje år.

I USA och i några andra länder finns det svenska immigranter som talar sitt gamla
modersmål svenska.

Det är därför svårt att svara exakt på frågorna vem och hur många som talar
svenska.

Sverige är ett långt land och det gör att sättet att tala varierar från nord till syd.
Man kan ofta höra från vilken del av Sverige som någon kommer på grund av uttalet
och melodin. Svenskar skojar ibland om skillnaderna, men de har nästan aldrig några
problem att förstå varandra.

Sedan år 2000 har Sverige fem officiella minoritetsspråk: finska, meänkieli (tornedals-
finska), samiska, romani och jiddisch.

DISKUTERA: Vem talar ditt språk? Hur många talar det? Kan man höra varifrån i landet
någon kommer? Vilka språk läser man i skolan i ditt land? Är det viktigt att kunna tala
och förstå andra språk?

Influenser från andra språk

Svenskan har under århundraden fått många nya ord genom influenser från andra språk och kulturer. En svensk idag skulle ha svårt att förstå det språk som en viking talade och kanske skulle mormorsmor ha svårt att förstå mycket av vad dagens ungdomar säger, eftersom de använder många ord som inte fanns i språket för hundra år sedan.

När kristendomen kom till Sverige på 1050-talet, och med den latinet, förde den med sig många nya ord. Latin och grekiska var länge kyrkans och de lärdas språk.

Under 1100- och 1200-talen koloniserade araberna bl.a. Spanien, och från denna period kommer många arabiska ord.

På medeltiden var tyska det dominerande utländska språket i Sverige eftersom nordtyska städer handlade med svenska handelsplatser, t.ex. Visby på Gotland, och man anlitade tyskar som experter för att bygga svenska städer efter tyskt mönster. Många tyskar bosatte sig i Sverige och fick höga poster i samhället. Följden blev att i vissa delar av landet talade man lika mycket tyska som svenska. Från den tiden har vi fått ord som man använde i det dagliga livet i de nya städerna.

1700-talet var en period då fransk kultur och franska språket var populärt i Sverige – speciellt hos överklassen. När man talade svenska blandade man gärna in franska ord.

1800-talet är industrialismens tid och svenskan tar nu upp många ord från engelskan. Det är ord som idag ingår i det vardagliga språket.

I dag är inflytandet från engelskan fortfarande mycket stort. Många av lånorden är så vanliga att vi inte tänker på dem som lånord eftersom man har försvenskat både uttalet och stavningen.

Här är några exempel på lånord från andra språk:

Arabiska
alkohol, kaffe, kemi, madrass, magasin, siffra, soffa

Engelska
baby, bank, biff, cigarett, cykel, film, fotboll, jobb, lunch, match, overall, polis, rekord, sport, start, strejk, taxi, telefon, telegraf, tennis, träna, turist

Franska
affär, butik, familj, fåtölj, hotell, kritik, mamma, möbel, pappa, toalett, trafik

Grekiska och latin
bacill, brev, doktor, frukt, harmoni, mytologi, penna, skola, skriva, termin, universitet

Tyska
betala, billig, fru, fröken, herr, köpa, möjlig, räkna, skräddare, snickare, skomakare, summa

Nya lånord på 1900-talet
chatta, juice, e-mail, keps, layout, rap, poster, tv, video

Uttala orden! Tänk på att uttalet är försvenskat.

DISKUTERA: Har ditt språk många lånord? Varifrån kommer de?

Farmor och engelska språket

Farmor   Hör här, Daniel. I den här platsannonsen söker de en "account manager". Vad är det? Jag förstår bara hälften av det som står i tidningen nuförtiden. Varför kan de inte skriva på svenska?

Daniel   Du har rätt i att mycket är på engelska, och jag tror inte ens att vissa ord går att översätta till svenska. Alla säger dem på engelska.

Farmor   Vilka är alla? Inte är det mina väninnor och jag i alla fall. Förstår man inte att man utesluter en stor del av befolkningen, åtminstone oss äldre som inte fick lära oss engelska i skolan. Men vi är väl inte intressanta på arbetsmarknaden.

Daniel   Förlåt farmor, men många arbetsgivare skulle nog tycka att du är för gammal om de skulle anställa en "account manager" – 70 år.

Farmor   Hm. Och tänk på all reklam som är på engelska. Ibland när jag tittar på tv undrar jag om jag verkligen befinner mig i Sverige. Först en film, sedan en serie, båda på engelska. När sedan reklamen kommer är den också på engelska. Jag har pratat med mina väninnor om det, och vi har bestämt oss för att inte köpa några produkter som har reklam på engelska eller engelska ord på förpackningen.

Daniel   Filmerna och tv-serierna är ju textade och inte dubbade som i många andra länder. Det är väl bra att man har tillfälle att höra originalspråken, men jag håller med dig om att det är onödigt att ha reklam på engelska. Där går det faktiskt att säga precis samma sak på svenska.

Farmor   För att inte tala om alla sångtexter som är på engelska. De skriver kanske på engelska för att de inte vill att vi ska förstå hur dåliga texterna är.
Tur att det fortfarande finns några låtar på svenska så att jag kan tralla med i sångerna.

Daniel   Det är så fint när du sjunger, farmor. Men nu ska jag gå hem och kolla min e-mail och sedan ska jag chatta lite.

Farmor   Vad sa du?

OK, okej!

OK är ett ord som har funnits i svenskan sedan mitten av 1900-talet. Redan 1839 fanns det i amerikansk engelska.

En del forskare anser att bokstäverna betyder *orl korrekt,* en skämtsam felstavning av *all correct.*

OK var också initialerna på Old Kinderhook, smeknamnet på en amerikansk president, Martin van Buren, som kom från Kinderhook. Det var ett ord som man använde under hans presidentvalskampanj i s.k. *OK clubs.*

I dag är OK det ord som flest människor förstår, oavsett vilket språk de talar.

Många gånger är de utländska orden försvenskade eller översatta. Vi kan t.ex. tala om att mejla, sätta upp postern med tejp, uppgradera, gå till en hemsida, klona, möta skinnskallar eller nördar.

Heter det mail, mejl eller e-post?

Här är några webb-platser som snabbt och enkelt ger svar på frågor om språkriktighet:
Svenska språknämnden: frågor och svar.
Tidningarnas Telegrambyrå: allmänna skrivregler, "svengelska", ordformer, stavningslista.
Svenska datatermgruppen: ordlista, skrivregler, förkortningsordlista.

LÄSTIPS: *Engelska – öspråk, världsspråk, trendspråk* av Jan Svartvik

Minns du ordet? 1

befolkningen	förstår	vissa	övriga	översätter
befinner sig	läser	tillfällen	hälften	vardagliga

1. Det finns några ord som farmor inte förstår.

   Farmor har svårt att förstå _____ ord i texten.

2. Det är en typ av ord som man använder varje dag.

   Ordet bank tillhör det _____ språket i dag.

3. Ungefär 50 % av alla filmer som man visar på tv är amerikanska.

   Nästan _____ av filmerna är amerikanska.

4. Finska är inte släkt med de andra nordiska språken.

   Finska liknar inte de _____ nordiska språken.

5. Hon är i Sverige just nu.

   Hon _____ i Sverige just nu.

6. Vad studerar du?

   Jag _____ svenska.

7. Anna kan inte engelska.

   Hon _____ inte vad en engelsman säger.

8. Alla som bor i landet talar svenska.

   Hela _____ talar svenska.

9. Barnen har många möjligheter att höra engelska.

   De har många _____ att träna språket.

10. Hon säger vad ordet heter på engelska.

    Hon _____ ordet till engelska.

Vad talar de om?

Lyssna på de fem samtalen!

A.

Välj rubrik! Obs! Det finns fler rubriker än samtal! Du kan välja mellan följande rubriker:

Ett kort telefonsamtal	Semesterplaner	Den nya bilen
Skvaller	Ett oväntat möte	En inbjudan till fest
En anställningsintervju	En poliskontroll	Uttalsproblem

Samtal nummer 1 _____

Samtal nummer 2 _____

Samtal nummer 3 _____

Samtal nummer 4 _____

Samtal nummer 5 _____

B.

Återberätta ett eller flera av samtalen muntligt eller skriftligt med dina egna ord.

C.

Spela upp scenerna parvis tillsammans med en kurskamrat eller en god vän, om du har möjlighet.

2. Ingen gör någonting

– Varför är du så lättirriterad jämt? sa Åsa till Daniel en söndagsförmiddag, när han hade klagat över att "ingen" hade köpt mjölk, att det fanns tandkräm över hela handfatet och att "någon" hade spillt kaffe på morgontidningen.
De hade just ätit frukost och gick fortfarande omkring i sina morgonrockar fastän klockan nästan var elva.

– Ååå, sa Daniel, jag har ju så mycket att göra! Snart har vi en stor tenta, det ligger en hög räkningar på mitt skrivbord, min bästa penna är borta, inga pengar har jag heller ... Varför är det så svårt att vara effektiv? Allt ska man göra på helgen, men tiden bara rinner iväg och inget blir gjort!

– Se här, vännen min, sa ordentliga Åsa och pekade på tidningen. Här, strax nedanför kaffefläcken, står det om en man som har skrivit en bok om hur man bäst undviker att bli irriterad över småsaker. Han menar att man ska tänka på allt man har, i stället för allt man inte har! Det står att det gäller att skaffa sig perspektiv på livet, och att det är bättre att ta det lugnt och fokusera på det som är viktigt än att bli arg och frustrerad. Han säger också att vi blir stressade för att vi är rädda att inte lyckas. Och att man varje dag ska tala om för någon att man beundrar honom eller henne. Det har jag inte hört dig säga ...

– Åsa, jag beundrar dig, för du har alltid ett bra svar! Du är alltid så praktisk och lugn. ... Fast jag gillar lite stress i alla fall. Ingenting blir riktigt bra om man inte har lite press på sig. Så nu sätter jag igång med "tentaläsningen". Du kanske tar hand om disken och söndagslunchen, då? Det vore verkligen snällt!

Gör någon glad i dag!

Hjälp någon i dag!

Beröm någon i dag!

Boken som Åsa läste om heter *Hetsa inte upp dig över småsaker* och är skriven av Richard Carlson.

FUNDERA PÅ/DISKUTERA: Vad gör dig stressad? Vad gör du då? Finns det något positivt med stress?

14

Kvinnor och män

▪▪▪ "Det var väl det jag trodde!" sa Magnus. Det var fikapaus på jobbet och han satt och tittade i dagens tidning när han såg rubriken: *Kvinnorna bestämmer fortfarande i hemmen.* "Det står här att det är kvinnan som talar mest, dubbelt så mycket som mannen! Hon ger order, fattar viktiga beslut och sätter andra i arbete, tre gånger så ofta som män. Precis vad jag trodde: frun säger till sin man att gå ut med soporna." "Annars blir ingenting gjort, förstår du väl", sa Kristina, hans arbetskamrat. "Män tar så sällan egna initiativ. Men nu ska man nog inte dra för snabba slutsatser. Visserligen bestämmer kvinnan kanske över mat och städning, men det behöver inte betyda att hon faktiskt har makt över sitt liv! Såg du förresten i tidningen häromdagen att 72 % av kvinnorna ansåg att de ensamma ansvarade för städningen medan 41% av männen ansåg att det var de som hade ansvaret?"

Giftermål och skilsmässa

Varje år gifter sig ca 30 000 par. De flesta gifter sig till pingst eller midsommar. Det är en gammal tradition. Det har visat sig att vart tredje äktenskap tyvärr slutar i skilsmässa idag. Att skilja sig kan kan vara svårt om man har barn, inte minst ekonomiskt. Numera är gemensam vårdnad om barnen vanligast. Det innebär ofta att barnet bor en vecka hos mamma och en hos pappa, vilket i sin tur gör att barnet måste ha allt på två ställen: rum, kläder, leksaker m.m.

Andel skilsmässor för par som gifte sig 1955, 1965, 1975, 1985 och 1988

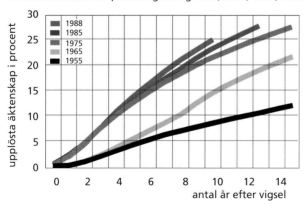

3/4 av alla svenska barn under 17 år bor med båda sina föräldrar. 55 000 svenska barn per år har föräldrar som skiljer sig. 13% bor med skilda föräldrar som har gemensam vårdnad. 13% bor med en ensam förälder.

Källa: SCB 2001

Tolka statistiken! Använd ord som *enligt, andel, jämfört med, öka/minska, de flesta/det mesta.*

DISKUTERA: Vad tror du är orsaken till att så många skiljer sig? Kan man tala om rättvisa i en kärleksrelation?

Bröllopsbesvär

▪▪▪ En kväll sitter Daniel och Åsa och pratar.

– Du Daniel, säger Åsa, nu har vi bott
ihop i ett år. Tycker du inte att det är tid att
vi gifter oss?

– Är det inte mannen som ska fria? undrar
Daniel och ler. Men det är väl klart att jag vill
gifta mig med dig. Jag älskar ju dig. Jag skulle
vilja ha ett riktigt bröllop som Karl och Johanna hade.
Du med lång vit klänning och jag med frack.

– Då kommer du att likna en pingvin, skrattar Åsa. Jag vill ha lång klänning, men
inte en sådan med en massa spetsar och tyll som Johanna hade. Jag skulle känna mig
som en maräng i en sådan klänning. Det får bli något enklare för min del.

– En pingvin som går uppför kyrkgången med en maräng. Men du, skulle vi inte
kunna gifta oss utomhus?

– Jo, det gör vi, säger Åsa. Vi gifter oss på en äng med en massa vilda blommor.
Å, så romantiskt. Men tänk om det regnar.

– Det är säkrare att gifta sig i kyrkan, säger Daniel, men festen kan vi ha i
trädgården hemma hos mamma och pappa. Vi kan hyra sådana där stora partytält, så
gör det inget om det regnar. Vilka ska vi bjuda?

Två veckor senare ...

– Åsa, säger Daniel desperat, hur jag än räknar så blir det 178 gäster på festen. Du
kan inte bjuda alla arbetskamrater och gamla väninnor. Vi har inte råd!

– Min mamma syr brudklänningen och din mamma gör brudbuketten, säger Åsa
lite surt. Där sparar vi in flera tusen kronor. Så jag tycker att jag kan bjuda vem jag
vill. Men du behöver väl inte bjuda alla kompisar från Göteborg, de där tjejerna som
du seglade med till exempel. Kompisar ... ja, ja.

– Du är väl inte fortfarande svartsjuk på dem, utropar Daniel.

– Äsch, säger Åsa, nu ska vi inte gräla om det. Kan vi inte stryka alla avlägsna
släktingar, arbetskamrater och kurskamrater? Vi bjuder bara våra familjer och allra
bästa vänner. Då blir det ungefär 75 personer och det är väl lagom. Om vi dessutom
lagar det mesta av maten själva och inte har starksprit utan bara vin till maten, så
behöver det inte bli så dyrt, eller hur? Å, vad jag längtar! Det ska bli så spännande.

UPPSATS: Hur tror du att festen blev? Skriv en uppsats och berätta vad de gjorde.

16

Familjeliv

I en undersökning bad man ett antal personer berätta om sin familjesituation.

Så här berättar Håkan, 37:
Jag och min förra fru skildes för tre år sedan. Vi har gemensam vårdnad om våra två pojkar, 9 och 11 år gamla.Vi bor båda kvar i samma stad, så pojkarna bor två veckor hos mig och två veckor hos henne. Det är en praktisk lösning och fungerar rätt bra, även om det händer att läxboken eller träningskläderna ligger på fel ställe.

För ett och ett halvt år sedan flyttade jag ihop med Anna. Vi ska faktiskt gifta oss till sommaren, samtidigt som vår lilla dotter ska döpas. Anna har ett barn från sitt tidigare äktenskap, Malin, som är fem år. Malin bor hos oss i veckorna och varannan helg. Större delen av sommaren, varannan jul och vartannat veckoslut är det bestämt att hon ska bo hos sin pappa. Hennes pappa och hans nya sambo väntar barn, så snart har Malin två halvsyskon.

Det är klart att det kan vara besvärligt, särskilt på födelsedagar och andra speciella dagar, men också väldigt omväxlande att ibland vara så många vid matbordet, medan huset är tyst och tomt andra gånger.

Johan, 27:
Jag växte upp i en typisk kärnfamilj. Det var mamma, pappa och mina två yngre systrar. Vi bodde i ett ganska stort radhus, så vi barn hade var sitt rum. De flesta familjerna i vårt bostadsområde såg ungefär likadana ut – mamma, pappa, barn. Men i min klass hade jag ju flera kompisar vars föräldrar var skilda.

Jag har haft en trygg och bra uppväxt. Mamma jobbade deltid när jag och mina syskon var små, så hon var ofta hemma på eftermiddagarna när jag kom hem från skolan. Om jag någon gång får barn, vill jag nog att de ska växa upp i en trygg familj som jag. Men jag tänker inte skaffa barn än på länge. Först ska jag bli klar med min utbildning, och så förstås träffa någon som jag vill ha barn tillsammans med. Jag vill gärna att vi delar ansvaret hemma. Det hör man ju att allt fler killar tar pappaledigt.

Emma, 17:
Mina föräldrar skildes när jag var sex år. Min pappa flyttade, men jag och min mamma bodde kvar i lägenheten. Jag tillbringade aldrig så mycket tid med min pappa, det blev mest på loven och stora helger; varannan jul och påsk. Han gifte om sig efter ett par år och jag fick två halvsyskon, som jag har bra kontakt med, även om vi inte ses så ofta.

Pappa gav mig alltid många presenter. Kanske hade han trots allt dåligt samvete för att han hade lämnat oss och skaffat ny familj. Och mamma hade nog rätt ont om pengar en tid. Det var väl lite ensamt för henne, men hon och jag har alltid kunnat prata om allt. Vi hade det ofta mysigt ihop och jag fick följa med henne på allt möjligt.

Jag minns min uppväxt som harmonisk och jag tror inte att barn behöver ta skada av att föräldrarna har vuxit från varandra.

DISKUTERA: Måste man gifta sig? Ska man ha borgerlig eller kyrklig vigsel? Skulle du vilja ha ett stort bröllop?

Minns du ordet? 2

beundrar	mesta	fortfarande	häromdagen	liknar
jämt	avlägsen	tyvärr	lagom	särskilt

1. Daniel kommer försent till föreläsningen varje dag.

   Han kommer _____ försent.

2. Åsa har ännu inte klätt på sig.

   Hon har _____ pyjamas och morgonrock fast klockan är elva.

3. Daniel tycker att Åsa är fantastisk.

   Han _____ henne.

4. Jag är ledsen, men jag kan inte komma på festen.

   _____ kan jag inte komma på festen.

5. Åsa ser ut som sin mamma.

   Hon _____ sin mamma.

6. Daniel har läst nästan allt till tentan.

   Han har läst det _____.

7. Åke och jag är inte nära släkt.

   Åke är en _____ släkting till mig.

8. Det är inte speciellt ovanligt att skilja sig i dag.

   Det är inte _____ ovanligt att skilja sig i dag.

9. Presenten var inte för dyr och inte för billig.

   Det var en _____ dyr present.

10. Brevet kom för några dagar sedan.

    Det kom _____.

18

Glass

Markera om påståendena nedan är rätt (R) *eller fel* (F)!

1. Glass har funnits länge. _____

2. Kejsar Neros slavar sprang ner med is till Rom från
   Apenninerna varje dag. _____

3. Man använde is under antiken både till att kyla drycker
   med och som medicin. _____

4. Marco Polo tog med sig glassen till Kina under sina
   många resor. _____

5. Man använde salpeter för att frysa glassen. _____

6. Italien har dominerat glasstillverkningen i Europa. _____

7. Norrmännen exporterade is på 1700-talet. _____

8. På 1700-talet tyckte många att det var dåligt att äta glass. _____

9. President James Madison introducerade glassen i USA. _____

10. I Sverige äter man inte gärna glass på vintern. _____

▪▪▪ Vikingarna är kända för sina smala, snabba skepp och sina långa resor på floder och över öppna hav. Många är imponerade över att de kunde resa flera veckor över havet – och hitta hem igen – utan våra dagars navigationsinstrument.

De är kanske mest kända som barbariska krigare och pirater som dödade och brände städer och byar. Men de sålde och bytte också nordiska produkter, som pälsar och bärnsten mot saker som de ville ha. Bland annat på Gotland har arkeologer hittat arabiska mynt och smycken som visar detta.

I början av 900-talet reste vikingar från Danmark, Norge och sydvästra Sverige västerut mot norra Frankrike. De seglade på floden Seine och hotade Paris. Den franske kungen gav dem då ett landområde för att få fred. Det kallas sedan dess

VIKINGARNAS FÄRDER

Island
till Grönland o. Amerika
Nidaros
Staraja Ladoga (Aldejgjuborg)
Belozersk
Kaupang
Volga
Birka
Novgorod (Holmgård)
Bulgar
Izborsk
Daugava
Dublin
York
Cork
Hedeby
Danelagen
Hamburg
Gårdarike
London
Rhen
Kiev (Könugård)
Itil
Normandie
Paris
Trier
Dnepr
Bordeaux
Valence
Santiago di Compostela
Donau
Lissabon
Rom
Konstantinopel (Miklagård)
färdvägar
Sevilla
Bysantinska riket
områden utanför Norden som kontrollerades av vikingar
Nekur

för Normandie. De ockuperade även delar av dagens England under 100 år. I det engelska språket finns ännu nordiska ord från denna tid som skin (skinn), egg (ägg) och call (kalla). Många vikingar bosatte sig i England, t.ex. i staden Jorvik, dagens York, där det finns ett stort vikingamuseum i dag.

En isländsk viking, Leif Eriksson, reste på 1000-talet med sina män från Grönland till norra Amerika, som vikingarna bl.a. kallade Vinland. Arkeologer har funnit föremål som visar att de faktiskt kom dit.

De östnordiska vikingarna reste österut och via floderna i dagens Ryssland kom de ända till Bagdad i Irak och Istanbul (Miklagård) i Turkiet. Ibland stannade vikingarna utomlands i flera år och många bosatte sig utomlands för gott. Några tog t.ex. anställning i den bysantinske kejsarens armé.

De vikingar som reste österut kom bl.a. från Roslagen, en del av Sveriges östkust, och de kallades ros eller rus. En av dessa vikingar från Roslagen är känd under namnet Rurik. Han seglade i mitten av 800-talet till västra Ryssland, som vikingarna kallade Gårdarike. Enligt den berömda Nestorskrönikan, en skrift från medeltiden som handlar om Rysslands äldsta historia, grundade han staden Novgorod (Holmgård).

Forskare menar att namnet Ryssland (Rossija) kommer från rus d.v.s. rusernas land. På finska heter Sverige Ruotsi och på estniska Rootsi.

> Han föll
> i Holmgård
> skeppshövdingen
> med sina sjökrigare
>
> *text på runsten i Södermanland*

LÄSTIPS: *Röde Orm* av Frans G. Bengtsson

RESTIPS: Gotlands fornsal, Länsmuseet på Gotland, Visby
Vikingabyn i Tofta, söder om Visby
Birkamuseet på Björkö i Mälaren

Kristina – drottningen som gjorde skandal

··· Kristina föddes på Stockholms slott år 1626. Hennes far, kung Gustav II Adolf, dog när Kristina bara var sex år. Den unga Kristina fick samma uppfostran som en manlig tronföljare vid den här tiden. Hon hade lätt för att lära och studerade bl.a. teologi och filosofi för de bästa lärare som fanns. Hon lärde sig tala latin, franska, tyska och holländska flytande, och hon fick även lära sig rida och jaga.

När hon fyllde 18 år blev hon drottning av Sverige och regent över en stormakt. Hon var inspirerad av det franska kungahuset och ordnade jakter, stora fester och middagar. Kristina tyckte också mycket om att samtala med lärda och bjöd in en rad berömda konstnärer och vetenskapsmän, bl.a. den franske filosofen Descartes.

För att säkra tronföljden ville regeringen att drottning Kristina skulle gifta sig, helst med kusinen greve Karl Gustav, men hon vägrade. Hon blev mer och mer intresserad av konst, filosofi och religion, men hon tyckte att den kulturella miljön i Sverige inte var tillräckligt stimulerande och bestämde sig för att lämna landet. Den 6 juni 1654 abdikerade hon och reste genast utomlands.

Hon övergick till katolicismen 1655 och i december samma år kom hon till Rom. Att Sveriges protestantiska drottning blev katolik var en skandal i hela Europa. Vatikanen använde det i sin propaganda för katolicismen, och påven behandlade henne som en mycket viktig person. Kristinas hem i Rom blev ett kulturellt och politiskt centrum dit en rad politiker, konstnärer och författare kom. Kristina var också själv författare och skrev bl.a. en bok om sitt liv.

Hon bodde i Rom till sin död 1689. Hennes grav finns i Peterskyrkan.

Svara på frågorna:
1. Vilka språk talade Kristina?
2. Vad tyckte Kristina om?
3. Vem ville man att hon skulle gifta sig med?
4. Vad gjorde hon året efter abdikationen?

DISKUTERA: Varför är vi så intresserade av kändisarnas och de kungligas liv? Varför säljer s.k. skandalreportage i tidningar så bra? Ge exempel på ett sådant reportage.

Jag tror att vi känner varandra

A: Hej! Känner du inte igen mig? Jag tror att vi har träffats tidigare.

B: Nej, det tror jag inte. Men du känner kanske min syster, Elin, folk tycker ofta att vi är ganska lika.

A: Elin ... ja, det tror jag att hon hette. Vi lärde känna varandra på en resa till Rom förra året.

B: Rom, det är en stad som jag inte känner till, men jag tror att det är vackert där. Det tycker i alla fall min syster. Jag tycker att det skulle vara roligt att åka dit.

A: Jag tänker åka dit igen med en kompis i sommar. Vi har känt varandra länge och tycker om samma saker. Och jag tror att jag kommer att känna igen mig. Vi tänker titta på Peterskyrkan. Den tycker jag mycket om.

B: Den känner jag inte alls till. Men nu måste jag gå. Jag ska stiga upp tidigt i morgon och jag känner mig lite trött, så jag tänker gå hem och lägga mig.

A: Hejdå. Det var trevligt att lära känna dig. Jag tror aldrig att jag ska ta fel på dig och din syster mer, för nu känner jag igen dig.

B: Det gör inget. Jag tycker alltid att det är intressant att lära känna nya människor. Jag tror att ni kommer att få en trevlig resa!

UPPGIFT: 1. Läs dialogen i par tills ni nästan kan den utantill. Byt roller.
2. Skriv er egen dialog efter samma modell. Använd verben: *känna, känna till, känna igen, känna sig, känna igen sig, lära känna, tänka, tycka, tro.*

känna en person	vara bekant/vän med
känna till	veta något om
känna igen	se och veta vem det är
känna sig	må, vara
känna igen sig	veta var man är
lära känna	träffa och börja känna
tänka + infinitiv	planera
tycka	ha en åsikt (bra/dåligt)
tycka om	gilla
tro	inte veta riktigt säkert

Jean Baptiste Bernadotte
– fransmannen som blev svensk kung

Det svenska kungahuset är det yngsta i Europa och det kommer från en borgerlig fransk familj. Genom en lång rad händelser, som låter som en saga, blev advokatsonen Jean Baptiste Bernadotte, från den lilla staden Pau i södra Frankrike, kung i Sverige och Norge.

År 1810 dog den svenske kronprinsen Karl August plötsligt, och eftersom kung Karl XIII var barnlös måste man välja en ny tronföljare. Sverige hade just förlorat Finland till Ryssland i ett krig, och man sökte därför efter en stark ledare som kunde ta tillbaka Finland.

En ung löjtnant, C.O. Mörner, som var på en diplomatisk resa i Frankrike, bestämde sig för att på egen hand ta kontakt med en av Napoleons officerare, Jean Baptiste Bernadotte, som efter franska revolutionen 1789 hade gjort en snabb militär karriär.

Efter långa förhandlingar i Sverige och Frankrike erbjöd man Bernadotte att bli kronprins i Sverige och han accepterade. Man valde honom till kronprins 1810 efter det att han hade övergått till protestantismen. Han blev kung år 1818 under namnet Karl XIV Johan. Hans valspråk var *Folkets kärlek min belöning.*

Karl Johan hade inga tankar på att återta Finland utan han ville i stället förena Sverige och Norge i en union. Efter ett kort krig mot Norge tvingade han norrmännen att acceptera unionen. Kriget mot Norge 1814 blev Sveriges sista och svenskarna har sedan dess kunnat leva i fred.

Karl XIV Johan och hans drottning Desideria fick en son, som blev kung år 1844 under namnet Oskar I. Sveriges nuvarande kung, Carl XVI Gustaf, är den sjunde generationen av huset Bernadotte på Sveriges tron. Hans valspråk är *För Sverige – i tiden.* Även Danmarks drottning Margrethe och Norges kung Harald är ättlingar till Karl XIV Johan.

DISKUTERA: Vad skulle du göra om du vore kung/drottning för en dag? Vad skulle du ha för valspråk?
UPPGIFT: Sök information om kronprinsessan Victoria på Internet och i veckotidningar. Skriv tio meningar. Börja med "Visste du att ..."

Kungar, drottningar, gamla och kändisar

A.
Du har nu läst om en kung och om en drottning. Vilka likheter och vilka skillnader finns det? Jämför texterna. Du kan till exempel jämföra det här:

- uppväxt
- intressen
- religion
- nationalitet
- giftermål
- barn
- regeringstid
- århundrade
- föräldrar
- språk

Du kan börja så här till exempel:
Kristina ... men Bernadotte ...
Både Kristina och Bernadotte ...
Varken Kristina eller Bernadotte ...

B.
Tänk dig att du träffar din mormorsmorfar och din mormorsmormor. Förklara för dem vad de här sakerna är och vad man använder dem till:

bil	cd-spelare	dator
e-brev	flygplan	kylskåp/frys
radio	telefon	tv
tvättmaskin		

C.
Avsluta meningarna muntligt. Arbeta gärna i par.

1. Jag vill gärna bli kändis därför att _____.
2. Eftersom _____ vill jag aldrig bli kändis.
3. Jag tänker bli kändis genom att _____.
4. Om jag inte spelade så falskt _____.
5. Jag sjunger bättre nu än _____.
6. Ju mer jag övar desto _____.
7. Alla kan läsa om mig i tidningen när _____.
8. Jag tänker inte be om din autograf förrän _____.
9. Du ska få intervjua mig trots att _____.
10. Jag gillar dig även om _____.

En släkthistoria

■■■ Daniels farfars farfars far Jöns Persson föddes i Öster-
götland 1842. Det var samma år som man startade
sexårig obligatorisk folkskola i Sverige. I början var
det förstås ont om lärare, men när Jöns var sju år fick
han chansen att gå i skolan och lära sig räkna, skriva
och läsa. Han läste mest i Bibeln, som var den enda bok
som fanns i hemmet.

Jöns hade en kusin i Småland, Arvid, som inte hade samma tur. Hans föräldrar
hade svårt att försörja sina tretton barn. De behövdes hemma för att hjälpa till med
arbetet på åkrarna. Dessutom var det svårt att gå de två milen till skolan när man
bara hade ett par varma skor till alla syskonen. Barnen måste helt enkelt turas om
att använda dem.

Jöns bodde kvar på landet i hela sitt liv och besökte aldrig ens en stad. Knappt
10 % av befolkningen bodde i städerna på den här tiden.

Men Arvid, däremot, hade lyckats spara
ihop till en Amerikabiljett genom att arbeta
hårt hos en bonde. När han blev 19 år
packade han sin väska och gav sig iväg.
Familjen fick ett brev med ett fotografi
efter åtta månader, men därefter hörde man
tyvärr aldrig mer av honom. Det hade varit
ett par svåra år i Sverige med dåliga skör-
dar, så det var många som var fattiga och
hungriga. De svalt, och därför sökte de
lyckan på andra sidan havet. Folk gav sig
också iväg av politiska och religiösa or-
saker.

Daniels farfar Oscar föddes 1916, mitt under första världskriget.
Nu hade emigrationen minskat, samtidigt som industrin utvecklades. Men ändå
bodde nästan var femte svensk i Amerika i början av århundradet. Oscar var ett av
sju syskon. Familjen bodde trångt, deras lägenhet var bara 35 kvm stor. Barnen fick
dela säng och oftast sov de i köket där det var varmt, tre av dem sov i kökssoffan.
Fastän de gjorde sitt bästa för att hålla rent, hände det ofta att de blev bitna av löss
eller att en råtta sprang över golvet. Toalett fanns utomhus, flera stycken så kallade

utedass i rad för alla familjer i huset. Visserligen var det kallt och smutsigt, men det fanns också en stor gemenskap då alla levde nära varandra.

Oscars familj var statare, vilket betydde att de jobbade som lantarbetare på ett gods eller en stor gård, och fick betalt i matvaror som mjölk, vete och potatis. De fick bostad men mycket lite pengar, så de var helt beroende av arbetsgivaren, bonden. Fadern arbetade drygt 12 timmar varje dag på bondens åkrar och skötte hans djur. Modern mjölkade korna tre gånger varje dag. Barnen måste också hjälpa till, så fort de var tillräckligt stora.

Statare arbetade med ettårskontrakt och kunde bara flytta under en vecka på året, i oktober. 1936 bestämde riksdagen att statare bara skulle arbeta 8 timmar om dagen sex dagar i veckan, precis som industriarbetarna.

Oscars mor, Hulda, röstade för första gången i sitt liv år 1921 när man införde allmän rösträtt. Hans syster Hanna hade flyttat till staden och arbetade i textilindustrin. 1938 fick hon sin första semester som varade i två veckor. Då åkte hon på cykelsemester med sin man.

Oscar själv drömde om att studera, men det var inte så lätt för en fattig pojke från landet. Han satt varje ledig stund på det lilla biblioteket i byn och läste allt han hittade.

DISKUTERA: Jöns, Oscar och Daniel växte upp under helt olika förhållanden. Vad tror du att de skulle säga till varandra i dag om de kunde träffas?

RESTIPS: Statarmuseet på Torup i Skåne

Vilhelm Moberg – historieskrivaren

Författaren Vilhelm Moberg har man ofta beskrivit som en stor, högljudd man som alltid var arg över orättvisorna i samhället. Men enligt dottern Eva var han vanligtvis en lugn, eftertänksam man som arbetade regelbundet vid skrivbordet och lade ner ett enormt forskningsarbete på sina historiska böcker.

Vilhelm Moberg föddes 1898 och växte upp i ett fattigt soldattorp i Småland, där han tidigt måste vänja sig vid hårt kroppsarbete. Sin första framgång fick han med romanen *Raskens*, 1927, som just beskriver det hårda livet för en soldat och lantbrukare i Småland.

Under sin uppväxt längtade han efter att studera och fick bl.a. möjlighet att gå på en folkhögskola. Han skrev reportage till tidningar och gav ut berättelser och teaterpjäser. Sedan han hade flyttat till Stockholm arbetade Moberg även som journalist och med att hjälpa människor som han ansåg blivit orättvist behandlade. Han väckte debatt med sina artiklar och talade ofta i radio. Under andra världskriget skrev han en historisk roman, *Rid i natt!*, som på sitt eget sätt protesterade mot nazismen.

Men det verk som Moberg nog blivit mest känd för är de fyra böckerna om de svenska emigranter som reste från Småland till Amerika på 1800-talet: *Utvandrarna, Invandrarna, Nybyggarna* och *Sista brevet till Sverige,* 1949–59. Romanerna om den småländske bonden Karl Oskar och hans hustru Kristina gjorde Moberg till en av de mest lästa och mest översatta svenska 1900-talsförfattarna. Man filmade böckerna på 1970-talet och de blev förlagan till en musikal av Björn Ulvaeus och Benny Andersson på 1990-talet. Fram till sin död, 1973, arbetade han på ett stort verk, *Min svenska historia*, som han aldrig hann avsluta.

Vilhelm Moberg beskriver folkets historia och individens kamp för frihet, rättvisa och lycka.

Svara på frågorna!
1. När levde Vilhelm Moberg?
2. Var växte han upp?
3. Vilken av hans böcker var en protest mot nazismen?
4. Vilka böcker blev han mest känd för?
5. Vad handlar de om?

Så här säger Vilhelm Moberg själv om sitt författarskap:

"I sextio år har jag läst svensk historia. När min läsning utvidgades, upptäckte jag att den svenska historien huvudsakligen handlade om den mindre grupp av människor som fattat besluten för själva folket och den stora mängden av landets invånare hade inte fått tillträde till den. /.../ Jag saknade de som besått åkrarna, de som fällt skogarna, röjt vägarna, byggt slotten, kungsgårdarna, fästningarna, borgarna, städerna, stugorna /.../ Och jag beslöt att berätta om de människor i det förgångna, som historien hade glömt.

Jag började med *Rid i natt!* 1941 och fortsatte år 1949 med *Utvandrarna*. Både 1600-talsbönderna, som kämpat för sin hotade frihet, och amerikaemigranterna, som tvingades söka sig nya hem i en annan världsdel, var i stort sett bortglömda av historikerna. /.../ Jag återger objektiva historiska fakta, men tolkningen av dem är min egen subjektiva. /.../ Jag försöker närma historien till de levande människorna och de levande människorna till historien."

*Ur förordet till **Min svenska historia berättad för folket** del 1*

TV-tittarna utsåg 1998 romanserien om utvandrarna till århundradets svenska roman.

DISKUTERA: Vad brukar historieböcker handla om? Är Rurik, Kristina, och Bernadotte viktiga att känna till om du jämför med Jöns, Arvid och Hanna? Måste man känna till sin historia? Läser du historiska böcker?

UPPSATS: Berätta om en gammal person i din släkt!

Minns du ordet? 3

enligt   enormt   samtidigt   beroende   känd

utomlands   framgång   en rad   knappt   fyllde

1. Boken var mycket, mycket intressant.

   Boken var _____ intressant.

2. Hon förstod nästan ingenting.

   Hon förstod _____ något.

3. Statarna klarade sig inte utan sin arbetsgivare.

   De var helt _____ av arbetsgivaren.

4. Kristina tyckte att Sverige var ett okultiverat land.

   _____ Kristina var Sverige ett okultiverat land.

5. Hon skrattade och grät på samma gång.

   Hon var både glad och ledsen _____.

6. Romanen blev en stor succé.

   Den blev en stor _____.

7. Kristina blev drottning på sin 18-årsdag.

   Hon blev drottning när hon _____ 18 år.

8. Kenneth har aldrig varit i något annat land än Sverige.

   Menar du att han aldrig har varit _____?

9. Kristina hade många stora middagar.

   Hon hade _____ stora middagar.

10. Leif Eriksson är en viking som många känner till.

    Leif Eriksson är en _____ viking.

Utvandrarna

Markera om påståendet är rätt (R) *eller fel* (F)!

1. "Kristina från Duvemåla" är en musikal av Björn Ulvaeus och Benny Andersson från ABBA. _____

2. Karl Oskar och Kristina Nilsson och deras barn kom från en liten by i Småland. _____

3. 90 % av alla svenskar hade inte något arbete vid 1800-talets början. _____

4. Befolkningsökningen på 1800-talet berodde på freden, vaccinet och potatisen. _____

5. Många fattiga flyttade till städerna och sökte arbete i industrin. _____

6. En normal arbetsvecka var 72 timmar för dem som arbetade i jordbruket i Sverige på den tiden. _____

7. De som kunde sålde sina gårdar och flyttade till Amerika. _____

8. I flera tidningar fanns annonser som talade om vilken fantastisk framtid som väntade i Amerika. _____

9. Båtresan till Amerika tog bara ett par veckor och var ganska bekväm. _____

10. Drömmen om ett bättre liv i Amerika blev verklighet för nästan alla. _____

11. Man berättade alltid sanningen om hur man hade det i breven hem till Sverige. _____

12. Familjen Nilsson fick det bättre i Amerika. _____

4. Astrid Lindgren – sagoberättaren

▪▪▪ En svensk författare som har haft stor betydelse för många svenskar under deras uppväxt är Astrid Lindgren. Hennes böcker har lockat läsare i alla åldrar, fastän hon främst har skrivit för barn.

Astrid Lindgren föddes 1907 och växte upp på en bondgård utanför Vimmerby i Småland. Hon fick inspiration till de flesta av sina berättelser från sin egen barndom.

Lindgren blev författare delvis av en tillfällighet. En gång när hon hade skadat sin fot och måste stanna hemma och vila, bestämde hon sig för att skriva ner de sagor som hon hade berättat för sin dotter.

När boken om Pippi Långstrump kom ut 1945 blev det en livlig debatt, för det var något helt nytt att skriva om en flicka som var stark och modig och alltid gjorde som hon själv ville. Men barnen älskade Pippi och boken blev en stor framgång.

Astrid Lindgren hade stor respekt för barn och barns känslor och hon skrev också om det som är svårt i livet som t.ex. i boken *Bröderna Lejonhjärta*.

Hennes språk är klart och enkelt och liknar ibland muntligt berättande. I några av hennes sagor, som *Mio, min Mio,* ser man att hon också har hämtat inspiration från folksagorna.

Personerna i hennes böcker lever sitt eget liv och är som verkliga människor för många svenskar. Många av hennes egna ord eller uttryck har blivit allmänna, d.v.s. ingår i ett ordförråd som nästan alla känner till. Det gäller inte minst visorna, t.ex. "Idas sommarvisa" ur *Emil i Lönneberga,* som man sjunger på många daghem och skolor vid skolavslutningen. I dödsannonser kan man inte sällan läsa orden: "Vi ses i Nangijala" ur *Bröderna Lejonhjärta.*

Astrid Lindgren har inte bara gett oss många roliga böcker, utan hon har också deltagit i samhällsdebatten, alltid på de svagas sida.

Astrid Lindgren dog år 2002, 94 år gammal.

Några av Astrid Lindgrens mest älskade böcker är:

Pippi Långstrump, 1945, Mio, min Mio, 1954, Karlsson på taket, 1955, Madicken, 1960, Emil i Lönneberga, 1963, Bröderna Lejonhjärta, 1973, Ronja Rövardotter, 1981.

Pippi Långstrump är kanske Astrid Lindgrens populäraste sagofigur. Pippi bor ensam i Villa Villekulla. Hon har en väska full med guldpengar, en häst och en apa, Herr Nilsson, och hon är otroligt stark. Hennes två kamrater Tommy och Annika är snälla barn som får följa med Pippi på äventyr.

I *Mio, min Mio* slåss prins Mio och de goda mot riddar Kato som är en grym, ond riddare som förvandlar sina fiender till sten. Prins Mio är egentligen en liten pojke, Bo Vilhelm Olsson, och som i den traditionella sagan vinner han till sist över de onda.

Karlsson på taket är Lillebrors fantasikompis och det finns många böcker om dem. Karlsson kan flyga med hjälp av en propeller på ryggen. Han är inte alltid snäll och lojal mot sin kompis. Han skryter mycket, säger att han är världens bästa Karlsson och ingen mer än Lillebror tror på att han finns.

Madicken är en flicka som gör många roliga saker tillsammans med sin syster. En gång försöker hon flyga från husets tak med ett paraply. Det slutar inte bra alls, utan med en hjärnskakning. Berättelsen utspelar sig för nästan hundra år sedan.

Sofia läser

Huvudpersonerna i Astrid Lindgrens böcker har blivit som vänner för många barn. Harald och Sofia har läst många av böckerna och Haralds lekar är ofta inspirerade av sago-figurerna.

En kväll när Sofia hade dukat av efter mid-dagen, satte hon sig i den bästa fåtöljen och slog upp dagens tidning.

– Mamma, kan du inte läsa för mig? Harald kom springande med sin nyaste bok i famnen.

Harald var sex och ett halvt år nu och skulle börja skolan till hösten. Han kunde redan läsa lite, men inte så snabbt. Hans mest älskade bok för tillfället var *Mio, min Mio*.

– Anton och jag har lekt riddare hela dagen. Jag var prins Mio och vi slogs mot den grymme riddar Kato. De goda vann, hur lätt som helst, över de onda.

– Blev de förvandlade till sten?

– Nej, de fick räkna till tio, sedan var de med igen. Vet du, tjejerna tänkte flyga från taket på dagis med bara ett paraply, precis som Madicken. Men då kom Fröken och sa till dem.

– Vad säger du? Ja, en propeller hade väl varit bättre i så fall, som ... vad var det nu han hette?

– Karlsson på taket, så klart! Världens bästa Karlsson, men han var inte så snäll jämt, tycker jag. Om man är mycket stark, måste man också vara mycket snäll, det har Pippi sagt. Och hon var faktiskt världens starkaste flicka, så det så! En hel väska full med guldpengar hade hon också.

– Ja, det vore inte så dumt, men kom nu så läser vi!

Harald kröp upp och satte sig i sin mammas knä och Sofia började läsa:

"Var det någon som hörde på radion den femtonde oktober förra året? Var det någon som hörde, att de frågade efter en försvunnen pojke? Så här sa de:

Polisen i Stockholm efterlyser 9-årige Bo Vilhelm Olsson, som sedan i förrgår kväll klockan 18 varit försvunnen från sitt hem, Upplandsgatan 13. Bo Vilhelm Olsson har ljust hår och blå ögon och var vid försvinnandet klädd i korta, bruna byxor, grå stickad tröja och liten röd luva. Meddelanden om den försvunne lämnas till polisens ordonnansavdelning.

Ja, så sa de. Men det kom aldrig några meddelanden om Bo Vilhelm Olsson. Han var borta. Ingen fick någonsin veta vart han tog vägen. Ingen vet det. Mer än jag. För det är jag som är Bo Vilhelm Olsson.

/ ... /

Jag var fosterbarn hos tant Edla och farbror Sixten. Jag kom till dem, när jag var ett år gammal. Förut bodde jag på ett barnhem. Det var där tant Edla hämtade mig. Hon ville egentligen ha en flicka, men det fanns ingen hon kunde få. Därför tog hon mig. Fast farbror Sixten och tant Edla tycker inte om pojkar. Inte när de blir åtta–nio år åtminstone. De tyckte, att det blev för mycket oväsen i huset och att jag drog in för mycket smuts, när jag hade varit ute i Tegnérlunden och lekt och att jag slängde kläderna omkring mig och att jag pratade och skrattade för högt. Tant Edla sa jämt, att det var en olycksdag, när jag kom i huset. Farbror Sixten sa ingenting."

ur *Mio, min Mio*

UPPSATS: Berätta om din första skoldag eller en annan viktig dag när du var barn.

RESTIPS: Besök Junibacken i Stockholm och Astrid Lindgrens Värld i Vimmerby.

Selma Lagerlöf – en Nobelpristagare i litteratur

▪▪▪ Selma Lagerlöf föddes 1858 på den lilla herr-
gården Mårbacka i Värmland. Där levde man
ett glatt liv med fest och dans, men Selma,
som led av en höftskada, kunde inte delta i
danserna som de andra ungdomarna. I stället
satt hon bland de vuxna och lyssnade på
sagor och historier som bland andra hennes
farmor berättade. På den tiden fanns det en
levande muntlig berättartradition, speciellt i
Värmland.

Selma Lagerlöf visste tidigt att hon ville
bli författare, men familjen fick ekonomiska
problem och blev tvungen att sälja gården.
Selma, som nu måste försörja sig själv,
utbildade sig till lärare och arbetade med
undervisning ett tiotal år. Men hon glömde
aldrig de historier som hon hört i sin barndom. Hon ville berätta om människorna
och miljöerna och hon gjorde det på sitt eget fantasifulla sätt.

1891 gav hon ut romanen *Gösta Berlings saga*, en romantisk berättelse om
prästen Gösta Berling och de övriga "kavaljererna" på en värmländsk herrgård.

Jerusalem I–II, från 1902, bygger på en verklig händelse. Romanen berättar om
invånarna i en liten by i Dalarna, som går med i en religiös sekt, säljer allt och
lämnar sina hem för att utvandra till Jerusalem.

I början av 1900-talet fick hon uppgiften att skriva en skolbok och 1906 kom
Nils Holgerssons underbara resa genom Sverige. Den handlar om en pojke som
förtrollas och blir så liten att han kan flyga på en gås över hela landet, från Skåne till
Lappland. Många svenska skolbarn har läst boken för att lära sig svensk geografi.

Romanen *Kejsarn av Portugallien* från 1914 handlar om en fattig man som älskar
sin dotter över allt annat. Han vill inte inse att hans dotter är prostituerad, utan
skapar en egen värld där hon är kejsarinna och han är kejsare. Kärleken gör honom
blind och galen.

I dag finns Lagerlöfs böcker översatta till många olika språk och författaren är
känd över hela världen. Många av hennes böcker har också blivit film. Samlingar
med hennes brev har väckt stort intresse på senare tid.

Selma Lagerlöf blev den första kvinnan i Svenska Akademien. 1909 fick hon

Nobelpriset i litteratur, som första kvinnliga författare och första svensk. Hon använde en del av prispengarna till att köpa tillbaka herrgården Mårbacka, där hon bodde fram till sin död 1940.

I dag är Mårbacka ett museum och ett populärt turistmål.

Svara på frågorna!

1. När levde Selma Lagerlöf?
2. Varför deltog hon inte i danserna som de andra?
3. Varför måste familjen sälja Mårbacka?
4. Vilket yrke hade Selma Lagerlöf?
5. Hur använde man boken om Nils Holgersson förr i tiden?
6. Vad handlar *Kejsarn av Portugallien* om?
7. Vad använde Selma Lagerlöf Nobelprispengarna till?

Försenat bagage

Sätt orden i rätt form! Arbeta gärna i par! Öva muntligt!

A.
Åsa flyger till Turkiet på semester. När hon kommer fram, är hennes väska borta.
Hon måste beskriva innehållet i väskan för flygbolaget och tittar på sin packningslista, som hon så ordentligt hade gjort:

en blå kjol	ett par gamla jeans
en vit skjorta	en randig tröja
en röd klänning	nya underkläder
ett par ljusa shorts	en blommig baddräkt
ett par svarta sandaler	

1. Åsa säger: I väskan ligger *min blåa kjol, min ...*
2. Tre dagar senare ringer flygbolaget och säger att de har hittat hennes väska.
   De har hittat *den blåa kjolen.*
   De har också hittat *den ...*

Åsa blir mycket glad, för hon har verkligen längtat efter sina egna kläder. Men hon har ju också köpt lite nytt som hon behövde. Så när hon kommer hem ska hon ringa sitt försäkringsbolag.

B.
Du är ute och reser och tyvärr har ditt bagage blivit försenat.
Tänk på vad du har i din packning! Du ringer till ditt försäkringsbolag och beskriver innehållet: "I väskan ligger min ..."

36

Tro inte på allt du hör!

▪▪▪ Johanna, min kompis, berättade att hennes kusin känner ett par som hade varit och storhandlat på ett varuhus i Ullared, som ligger ca 20 mil från deras bostad. När de kom hem igen upptäckte kvinnan att hennes handväska med pengar, kontokort, körkort och annat var borta. Efter några dagar ringde en person och sa att hon hade hittat väskan. Allt fanns kvar utom pengarna. Men hon tyckte att det skulle vara för långt, 15 mil, att köra hem till paret för att lämna tillbaka väskan. Däremot erbjöd hon sig att köra halva vägen. De bestämde att de skulle ses på en parkeringsplats. Paret satte sig i bilen och körde till parkeringsplatsen. De väntade och väntade men ingen kom. Till slut gav de upp och körde hem igen.

När de kom hem hade det varit inbrott i deras villa.

När folk hör den här historien tror somliga att inbrottet var en ren tillfällighet medan andra tror att det var planerat. Och så finns det de som säger att inget av detta är sant. De undrar t.ex. varför paret inte bad personen att lämna in väskan hos polisen eller att skicka den, varför paret inte misstänkte något när personen erbjöd sig att köra över 7 mil för att lämna tillbaka den. Har detta verkligen hänt eller är det ett exempel på en modern vandringssägen?

I alla tider har vi berättat historier för varandra. Syftet kan ha varit att stärka moralen, att få ett folk att känna större samhörighet, att varna för det okända eller helt enkelt att underhålla. En del av dessa historier kallar vi vandringssägner. Ofta handlar de om det som är nytt eller främmande för oss eller om något som är skrämmande. Till exempel är många av viruslarmen, när det gäller datorer och mobiltelefoner, falska.

Många tror på vandringssägnerna. Enligt folklivsforskaren Bengt af Klintberg ökar trovärdigheten om historien inträffar på en bestämd plats, om huvudpersonen är en bekant till en bekant och alltså inte vem som helst. Ibland har man kunnat läsa historien i tidningen och då ökar också trovärdigheten. En vandringssägen ska också vara lätt att komma ihåg så att man kan återberätta den.

LÄSTIPS: *Råttan i pizzan* av Bengt af Klintberg

DISKUTERA: Fyller vandringssägnerna något behov? Kan du berätta en vandringssägen?

37

Minns du ordet? 4

ses	somliga	muntlig	misstänkte	inträffade
bekant	tillfällighet	skrämmande	försörja	beskrev

1. Man skulle inte skriva tentan.

   Det var en _____ tenta.

2. Åsa och hennes tjejkompisar ska träffas i kväll.

   De har bestämt att de ska _____ på puben klockan sju.

3. Hon har ett kul jobb men lönen räcker knappt till både mat och hyra.

   Hon har svårt att _____ sig på sitt arbete.

4. Eva berättade exakt hur de skulle gå för att hitta till bion.

   Hon _____ vägen dit.

5. Daniel trodde att han inte skulle klara tentan.

   Han _____ att det inte skulle gå så bra.

6. Det här hände när jag studerade i Lund.

   Det _____ när jag studerade i Lund.

7. Harald blir rädd när han lyssnar på spökhistorier.

   Harald tycker att spökhistorier är lite _____.

8. De träffades utan att ha planerat det.

   De träffades av en _____.

9. Det finns några som alltid är på gott humör.

   _____ verkar alltid glada.

10. Någon som hennes bror kände berättade vandringssägnen.

    En _____ till hennes bror berättade vandringssägnen.

En spökhistoria

A.

Besvara frågorna kort!

1. Kan man förklara "det mystiska och övernaturliga" enligt texten?

   _____

   _____

2. Vilka är Laban och Labolina?

   _____

3. Vad handlar spökhistorier ofta om?

   _____

4. Hur börjar spökhistorien?

   _____

   _____

5. Varför kör de unga männen så sakta?

   _____

6. Vad får de plötsligt se?

   _____

7. Varför vill flickan ha lift?

   _____

8. Vad händer när de har kommit fram till adressen?

   _____

   _____

9. Vad gör de unga männen?

   _____

10. Vad berättar kvinnan för dem?

    _____

    _____

    _____

B.

Lyssna igen och berätta sedan texten!

5. Det är farligt att vara polis!

En kvinnlig polis blev i natt skadad när hon och en kollega grep en man utanför en radio- och tv-affär i centrala Lund då han försökte kasta en sten mot affärens skyltfönster. Mannen blev förd till polisstationen där han fick tillbringa natten. Polisen släppte honom efter förhör i dag på morgonen.

Åsa kan inte jobba för hon har brutit armen. En journalist kommer hem till henne några dagar efter olyckan för att göra en intervju. Han håller på att skriva en artikelserie om polisens arbete.

Journalisten Har du mycket ont?

Åsa Inte så väldigt nu längre, men de första nätterna sov jag dåligt.

Journalisten Kan du berätta hur olyckan gick till?

Åsa: Jo, jag och min kollega, Kenneth, kom körande på Stora Södergatan. Det var lite folk ute eftersom det var ganska sent och det regnade och blåste. Då såg vi en man som stod utanför en radio- och tv-affär. Vi tyckte att det verkade misstänkt för vem har lust att titta i skyltfönster i det vädret? Så vi stannade bilen och steg ur. När mannen fick syn på oss kastade han en stor sten, som han hållit i handen, på marken och började springa från platsen. Vi förstod då att allt inte stod rätt till så vi sprang efter honom. Jag kom lite efter min kollega. Sen vet jag inte riktigt vad som hände. Plötsligt låg jag på marken.

Journalisten Ojdå, snubblade du?

Åsa Nej, men vid sidan om mig låg ett bananskal så antagligen hade jag halkat på det. Jag kände att jag hade jätteont i armen, att jag knappt kunde röra den. Som tur var kom ett yngre par förbi just då. De hade mobiltelefon och ringde efter ambulans.

Journalisten Var du tvungen att vänta länge?

Åsa Nej då, ambulansen kom efter bara några minuter. När jag kom till sjukhuset blev jag röntgad och då såg de att min högra arm var bruten. Så jag blev gipsad, men jag behövde inte bli opererad. Nästa dag kunde jag åka hem.

Journalisten Hur känns det att inte kunna jobba nu på ett tag?

Åsa Jag kan ju inte göra så mycket eftersom jag är högerhänt så jag sitter mest här i fåtöljen och läser. Jag tittar också lite på tv, men jag blir uttråkad av alla såpoperor.

Journalisten	Jag trodde att poliser tittade på polisserierna på tv.
Åsa	Nähä du, inte jag i alla fall.
Journalisten	Och hur gick det för mannen?
Åsa	Min kollega grep honom men man släppte honom igen när han hade blivit förhörd. Under förhöret sa han att han brukade bära på stenar ibland och att han precis kommit ihåg att han glömt stänga av spisen hemma. Det var därför han sprang.
Journalisten	Hm, jag undrar om man verkligen kan tro på det. Jag tackar i alla fall för att du ställde upp på den här intervjun. Krya på dig!
Åsa	Tack. Det var inget. Det var bara roligt att prata en stund med dig.

UPPSATS: En kriminalhistoria

De vanligaste brotten i Sverige

Brottstyp	Antal anmälda brott	Straff/Påföljd och olika brott
Stöld/snatteri ur och från motordrivet fordon	143 072	*Böter* (t.ex. parkeringsböter, polisen bestämmer summan), *dagsböter* (baserat på inkomsten, domstol bestämmer summan), *fängelse* 14 dagar–18 år, *livstids fängelse* (ej tidsbestämt), *skyddstillsyn, elektronisk fotboja.*
Skadegörelse	134 678	
Inbrottsstöld	117 925	
Cykelstöld	76 715	
Biltillgrepp *(bilstöld)*	60 014	*Snatteri:* om man tar varor för högst 800 kr
Misshandel	59 328	*Rattfylleri:* om man kör bil med mer än 0,2 ‰ alkohol i kroppen
Stöld/snatteri i butik och varuhus	51 742	*Inbrott:* om man "går" in i någon annans hem eller lokal och tar saker
Brott mot narkotikastrafflagen	32 052	*Skadegörelse:* om man förstör något som någon annan äger
Rattfylleri	14 180	
Rån, grovt rån	8 534	*Misshandel:* om man skadar en annan person
Källa: Brottsförebyggande rådet, 2002		*Rån:* om man tar pengar från en person el. t.ex. en bank

DISKUTERA: Vad kan man säga om siffrorna i tabellen? Hur är det i andra länder? Använd ord som *enligt, antal, andel, jämfört med, öka/minska, de flesta/det mesta!*

Utseende/Signalement
Ofta får polisen motsägelsefulla beskrivningar från vittnen. Man lägger märke till olika saker och ofta minns man fel. Försök att beskriva kassörskan som du såg i går när du handlade mat. Du kan t.ex. använda de här orden:
Längd: över/under/av medellängd
Vikt: kraftigt byggd/smal
Ålder: barn/yngre/medelålders/äldre
Hårfärg och hårlängd: mörkt/ljust/rött hår, kort/långt hår, skallig
Ögonfärg: bruna/blåa/gröna/mörka ögon
Klädsel: ljus/mörk, röd jacka, tröja, mössa o.s.v.

Mordet på Operan

Sent på kvällen den 16 mars 1792 blev kung Gustav III skjuten vid en maskerad på Operan i Stockholm.

Tre år tidigare hade Gustav III gjort en statskupp som gjorde honom enväldig. Genom statskuppen hade adeln förlorat sina privilegier och var mycket missnöjd. En grupp adelsmän, som hade blivit inspirerade av franska revolutionen, planerade därför att döda kungen. Adelsmannen Jacob Johan Anckarström erbjöd sig att utföra mordet eftersom han hatade kungen. Man kom överens om att det skulle ske vid en operamaskerad där kungen skulle vara gäst och alla gäster bära mask.

Under middagen före maskeraden fick Gustav III ett brev som varnade honom för att något skulle hända, men kungen brydde sig inte om varningen. När kungen och hans vänner gick runt bland gästerna, kom någon fram till honom, klappade honom på axeln och sa: "Godafton vackra mask". Det var det tecken som adelsmännen hade kommit överens om. Anckarström steg fram och sköt kungen i ryggen. Någon ropade: "Elden är lös!" för att skapa förvirring.

Polismästaren i Stockholm kom till platsen och såg till att man låste dörrarna och antecknade namnen på alla närvarande. På golvet låg två pistoler som tillhörde Anckarström. Han och hans medhjälpare blev arresterade, och Anckarström erkände att det var han som skjutit kungen. Anckarström blev dömd till döden. Den 27 april 1792 avrättade man honom genom halshuggning.

Gustav III dog inte omedelbart utan först den 29 mars på grund av skadorna.

Svara på frågorna:
1. Varför ville adelsmännen döda kungen?
2. Varför tror du att man planerade att döda kungen på en maskerad?
3. Hur försökte man skapa förvirring?
4. Vad hände med Anckarström?

LÄSTIPS: *Gustav III* av August Strindberg
RESTIPS: Livrustkammaren på Kungliga slottet i Stockholm

Mordet på Sveavägen

Strax före midnatt den 28 februari år 1986, 194 år efter mordet på Gustav III, blev Sveriges statsminister, Olof Palme, nedskjuten på öppen gata i Stockholm.

Olof Palme hade varit på bio tillsammans med sin hustru och paret bestämde sig för att promenera hem efter bion. Just den kvällen hade Olof Palme inga livvakter. Efter några kvarter, vid korsningen Sveavägen och Tunnelgatan, kom plötsligt en man fram ur mörkret och sköt flera skott mot paret. Olof Palme dog omedelbart.

Svenskarna blev djupt chockade för ingen hade kunnat tro att något sådant skulle kunna hända i Sverige.

Det fanns flera vittnen vid mordplatsen och media visade en s.k. fantombild av mördaren. Man hittade även två kulor från en revolver nära mordplatsen.

Så småningom kunde polisen gripa en man och huvudvittnet, fru Palme, pekade ut honom som den man hon hade sett på mordplatsen. Mannen blev först fälld för mordet i tingsrätten, men hovrätten frikände honom senare.

Det har funnits många teorier om bakgrunden till mordet och om vem som utförde det. Men trots att det nu har gått många år, har ännu ingen blivit dömd för mordet.

Mordplatsen på Sveavägen några dagar efter mordet.

Svara på frågorna:
1. Hur reagerade svenska folket på mordet?
2. Varför reagerade svenskarna så?
3. Hur gick det för mannen som man grep?
4. Vem dödade Olof Palme?

Sveriges allmänna domstolar
Högsta domstolen
Hovrätterna (6)
Tingsrätterna (85)

Dödsstraffet avskaffades 1921 för brott begångna i fredstid och 1972 för brott begångna i krigstid.

DISKUTERA: Man klarade snabbt upp mordet på Gustav III men Palmemordet är fortfarande ouppklarat. Vad kan orsakerna vara? Är det svårare att klara upp brott i dag trots all teknik som polisen har tillgång till? Jämför de två morden – skillnader och likheter.

Minns du ordet? 5

ett tag	utförde	så småningom	kollegor	hittar
antagligen	vittne	antecknar	tillbringade	omedelbart

1 Mannen stannade på polisstationen över natten.

   Han _____ natten på polisstationen.

2. Jag hade nog halkat på ett bananskal.

   Jag hade _____ halkat på ett bananskal.

3. En ung kvinna såg när olyckan hände.

   Hon blev _____ till olyckan.

4. Daniel vet inte var hans gamla träskor är.

   Han _____ inte sina älskade träskor.

5. Man vet inte vem som gjorde det.

   Man vet inte vem som _____ det.

6. Daniel skriver upp allt vad Åsa säger att han ska handla.

   Han _____ allt vad hon säger.

7. Du måste komma och hjälpa mig nu!

   Kom _____ och hjälp mig!

8. Daniel har inte träffat sin syster på ganska länge.

   Anna och Daniel har inte träffats på _____.

9. Efter en tid kunde polisen gripa mannen.

   _____ blev han gripen av polisen.

10. Åsa gillar sina arbetskamrater.

    Åsa gillar sina _____.

Vems är cykeln?

Svara kort på frågorna!

1. Ungefär hur många cyklar blir stulna varje år i Sverige?

   _____

2. När händer det att unga män stjäl cyklar?

   _____

3. Varför stjäl knarkare och andra missbrukare cyklar?

   _____

4. Hur stjäl professionella ligor cyklar?

   _____

5. Var blev Kalle Nilsson av med sin cykel?

   _____

6. Varför fick han inte tillbaka sin cykel när han hittade den?

   _____

7. Varför köpte Martina från Malmö en ny cykel?

   _____

8. Vad gjorde Martina när hon upptäckte att hennes cykel var stulen?

   _____

9. Hur mycket har cykel nummer två kostat Martina?

   _____

10. Får man ta tillbaka sin egen stulna cykel om man hittar den på stan?

    _____

6. Daniels nya dator

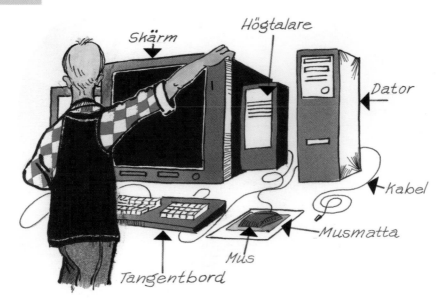

Skärm
Högtalare
Dator
Kabel
Musmatta
Mus
Tangentbord

Daniel köpte en dator för bara ett år sedan. Ändå tyckte han att det nu var dags att köpa en ny. Datorerna blir ju allt snabbare. "Jag måste uppgradera min apparatur", tänkte han. Han tyckte att han behövde en större hårddisk. I den gamla fanns det inte längre plats för allt som han ville använda: nya program, minneskrävande bilder, musik, videoklipp och spel förstås. Den nya modell som han köpte var faktiskt dyrare än vad han hade tänkt sig, men försäljaren var övertygande. Han talade mycket och med många fina ord om processorns prestanda, om det stora minnet och inte minst om den förträffliga skärmen med sin höga upplösning.

Så snart affären öppnade dagen därpå hämtade Daniel den nya datorn med föräldrarnas bil. När han kom hem började han ivrigt försöka koppla ihop datorn. Det var en massa kablar och sladdar. Bruksanvisningen var inte så tydlig, tyckte Daniel, och han måste ta paus ganska ofta för det var jobbigt att hålla reda på allt. Först sent på eftermiddagen var han klar med installationen av operativsystemet. Men när detta var gjort upptäckte han att flera av hans gamla program inte fungerade längre. "Äsch, nu måste jag köpa nya program också", tänkte Daniel.

Men det som han tyckte var mest irriterande var att bilden var skev på skärmen. Han tryckte på alla knappar på skärmen utan att kunna rätta till bilden.

"Jo, du förstår", sade försäljaren när Daniel frågade honom om skärmen per telefon, "skärmen måste arbeta en tid. Den måste liksom bli varm innan den blir riktigt bra. Efter en månad eller så har det fixat sig automatiskt."

Nu har det gått en månad, skärmen är fortfarande skev och Daniel funderar på att lämna tillbaka den. Daniel undrar om detta kanske är hans sämsta köp.

Åsa säger inget utan behåller sina tankar för sig själv.

DISKUTERA: Varför vill så många alltid ha den senaste modellen av till exempel datorer och bilar?

UPPSATS: Mitt bästa köp *eller* Mitt sämsta köp

Snabel-a

Enligt den italienska tidningen La Repubblica har man använt @ i 500 år. Redan på 1500-talet använde köpmän i Venedig symbolen som en måttenhet. På 1800-talet betydde symbolen "at the price of" i England. Därför kunde man se symbolen på vissa skrivmaskiner. I spansk-talande länder har man också använt tecknet som mått, arroba. En arroba = 11,6 kilo.

I dag kommer vi i kontakt med symbolen varje dag när vi skickar e-post.

På svenska har symbolen många namn, till exempel kanelbulle och kringla, men vanligast är nog snabel-a. Vad kallas @ på ditt språk?

Kärlek på Internet

Kan man bli kär i någon man inte har sett?

Allt oftare hör man talas om människor som har mötts via Internet och som säger att de har blivit förälskade i varandra. De säger att man lär känna varandra bättre när man chattar än om man möts i verkliga livet. Utseendet blir inte lika viktigt som tankar och idéer, säger de. Och när de till slut bestämmer sig för att träffas, stämmer allt – det känns rätt.

Man bör kanske också säga att alla inte blir lika förtjusta när/om de träffas. Vad tror du om kärlek på Internet?

Antal hemdatorer per 1000 invånare	
USA	585
Sverige	507
Schweiz	502
Norge	491
Singapore	483
Australien	465
Danmark	432
Finland	396
Nederländerna	395
Källa: USA Today 2002	

År 2000 hade ungefär 75 % av svenskarna tillgång till dator hemma och 68 % hade tillgång till Internet, men bara 17 % hade någon gång chattat.

Källa: SCB

Tolka statistiken! Använd ord som *enligt, antal, andel, jämfört med, öka/minska, de flesta/det mesta.*

Öresundsbron

Den 1 juli 2000 var en historisk dag för svenskar och danskar. Då invigde Danmarks drottning och Sveriges kung Öresundsbron, den fasta förbindelsen mellan Danmark och Sverige.

Redan 130 år tidigare hade man börjat tala om en bro mellan länderna, och man kom med flera förslag genom åren. Det mest spektakulära förslaget (1953) var nog att torrlägga hela Öresund. 1991 beslöt Danmark och Sverige till slut att gemensamt bygga en bro för bilar och tåg.

Många var emot en bro, främst av miljömässiga skäl, och menade bl.a. att bron skulle skada djurlivet i Öresund. Bromotståndarna demonstrerade och försökte på alla sätt stoppa bygget, men trots deras protester påbörjade man arbetet i slutet av 1995, efter fyra års diskussioner och miljöprövningar.

Det som man grävde upp från havsbotten lade man på en speciell plats för att skapa en ny ö, Pepparholm, som skulle bli en del av förbindelsen.

Tre veckor innan bron öppnades för biltrafik firade man genom att ha en stor fest som varade i flera dagar. Alla som ville kunde gå, springa, cykla och åka rullskridskor över bron. 79 837 personer tog chansen att springa över bron, 42 000 cyklade. Totalt tog sig 159 674 över den.

Förbindelsen, som i själva verket består av en bro, en ö och en tunnel, är totalt 16 km lång. Den är i två plan. På det övre kör bilarna och på det undre går tågen.

Många förväntar sig att bron kommer att bidra till att öka kontakten mellan danskar och svenskar medan andra oroar sig över att smugglingen av narkotika och annat ökar.

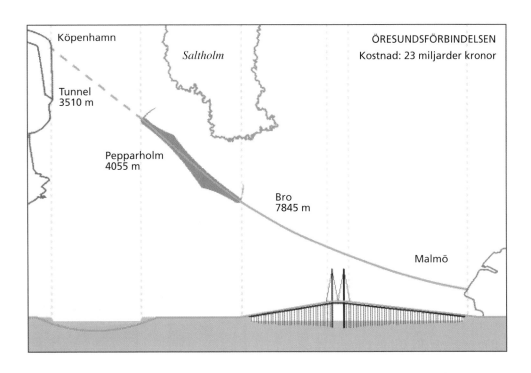

Köpenhamn

Saltholm

ÖRESUNDSFÖRBINDELSEN
Kostnad: 23 miljarder kronor

Tunnel
3510 m

Pepparholm
4055 m

Bro
7845 m

Malmö

DISKUTERA: Är det värt att satsa så mycket pengar på en bro när det redan finns ett väl fungerande färjesystem? Ökar öppna gränser automatiskt kontakten mellan olika länder och folk? Använd så många ord och uttryck som möjligt från texten!

UPPGIFT: Ta reda på namnet på
– världens längsta bro
– världens högsta byggnad
– världens äldsta byggnad
– Europas högsta torn
– världens längsta tunnel.

Carl Michael Bellman – en folkkär poet

Bellman är en av Sveriges största och mest folkkära diktare genom tiderna. Det finns knappast någon svensk som inte känner till Bellman, och de flesta har någon gång sjungit någon av hans visor. Barnen sjunger "Gubben Noak" och på fester hör man ofta "Måltidssång".

Carl Michael Bellman (1740–1795) växte upp i Stockholm och bodde där hela sitt liv och hans visor handlar om olika miljöer därifrån. Texterna kan skildra det glada livet på Stockholms krogar eller beskriva hur det är att ligga berusad på gatan och hur det känns dagen efter en glad fest som i t.ex. "Ack du min moder".

Hans skildringar av en tidig morgon i hamnen precis när staden vaknar, en frukost i det gröna med vin och kvinnor och det myllrande gatulivet är så målande att man tycker att man själv är närvarande. I hans visor finner man också lyriska naturskildringar som i "Fjäriln vingad". Personerna som förekommer i hans texter sägs alla ha funnits i verkligheten.

När kung Gustav III fick höra några sånger, där Bellman hyllade kungen, engagerade han honom som underhållare vid hovet. Bellman hade visserligen aldrig någon anställning vid hovet, men han fick ändå en sorts årlig ersättning från kungen. Trots kungens uppskattning och visornas popularitet hade Bellman ekonomiska problem under hela livet, och när han dog 1795 lämnade han en familj i stor fattigdom.

Det finns mer än 1700 efterlämnade texter av Bellman, men det är de 82 visorna i *Fredmans epistlar* och visorna i *Fredmans sånger* som är mest älskade. Bellman är i dag också mycket populär i bland annat England och Danmark.

Täck över texten och svara på frågorna!

1. Hur var Bellmans relation till pengar?
2. När levde Bellman?
3. Vad brukar hans sånger handla om?
4. Är det stadslivet eller livet på landet som Bellman beskriver i sina sånger?
5. Varför tror du att Bellman fortfarande är så populär?

Tre Bellmansånger

Gubben Noak, gubben Noak
var en hedersman,
När han gick ur arken
plantera han på marken
mycket vin, ja mycket vin, ja
detta gjorde han.

ur Gubben Noak

"Tycker du att graven är för djup,
nå välan så ta dig då en sup,
ta dig sen dito en, dito två, dito tre,
så dör du nöjdare"

ur Måltidssång

Fjäril vingad syns på Haga,
mellan dimmors frost och dun,
sig sitt gröna skjul tillaga,
och i blomman sin paulun;
minsta kräk i kärr och syra,
nyss av solens värma väckt,
till en ny högtidlig yra
eldas vid sefirens fläkt.

ur Haga

En Bellmanhistoria

Namnet Bellman återfinns även i en mängd roliga historier, som berättas om och om
igen av barn i alla åldrar i olika men liknande versioner. Dessa historier ska man nog
se som vandringssägner som egentligen inte har med Bellman att göra.

Har du hört historien om när en fransman, en tysk och Bellman satt
övergivna på en öde ö? De såg ett stjärnfall på natten så var och en
fick önska sig en sak.
– Jag önskar att en båt kom och hämtade hem mig, sa fransmannen.
– Jag önskar att det kom ett flygplan och tog mig härifrån, sa tysken.
– Det blir så tomt här, så jag önskar mig att ni båda kommer tillbaka
hit, sa Bellman.

LYSSNA PÅ: Cd-skivan *Glimmande nymf* där Fred Åkerström sjunger Bellmans sånger.

Minns du ordet? 6

Sätt in ordet i rätt form!

en mängd	fundera	liknande	rätta till	närvarande
i själva verket	tydlig	behålla	stämma	gemensam

1. Åsa och Daniel bestämde tillsammans hur de skulle göra.

   Det var ett _____ beslut.

2. Daniel försökte göra bilden bättre.

   Han försökte _____ bilden.

3. Daniel gick och tänkte på vilka han skulle bjuda på bröllopet.

   Åsa _____ också på vem hon skulle bjuda.

4. Allt kändes rätt när de träffades första gången.

   Allt _____ direkt.

5. Åsa hade faktiskt hellre köpt en ny dammsugare.

   Hon hade _____ hellre köpt en ny dammsugare.

6. Farfar har köpt en nästan likadan dator som Daniel och Åsa.

   Farfar har köpt en _____ dator.

7. Oskar kan en massa roliga historier om Bellman.

   Det finns _____ historier om honom.

8. Bruksanvisningen var svår att förstå.

   Den var inte så _____.

9. Eleverna måste komma till lektionerna varje dag.

   De måste vara _____ på alla lektioner.

10. Åsa blir aldrig stressad och nervös.

    Hon _____ alltid sitt lugn.

Papyrus, runstenar och cd-rom

Svara kort på frågorna!

1. Vilka material skrev tidigare kulturer på?
   _____
   _____

2. Hur sparar vi den mesta informationen i dag?
   _____
   _____

3. Vilka fördelar finns det med digitaliserad lagring? (Nämn 2!)
   a) _____
   b) _____

4. Vilket problem är det med att det finns så mycket information i dag?
   _____
   _____

5. Vad händer med våra datorer efter några år?
   _____
   _____

6. Vad händer ibland om du köper nya program och spel till din gamla dator?
   _____
   _____

7. Vad säger man om tiden i den digitala världen?
   _____
   _____

8. Vad innebär konvertering?
   _____
   _____

9. Hur lång livslängd tror man att mikrofilm kan ha?
   _____
   _____

10. Varför anser en del att mikrofilm är så bra?
    _____

7. Modernt eller tidlöst?

::: En solig höstdag håller Daniel och Åsa på att städa
där hemma.

Daniel Du, Åsa! Har du sett mina gamla träskor?
Förr var träskor det skönaste och mest prak-
tiska jag kunde tänka mig. Jag hade nästan
glömt dem, men just i dag kom jag att tänka
på mina svarta "tofflor" – som man säger
här i Skåne. Var kan jag ha ställt dem? I en
låda högst uppe på vinden, kanske? Mina bästa
träskor var faktiskt handgjorda. De tillverkades av
en gammal hantverkare som gjorde tofflor på det gamla sättet, för hand.

Åsa Hur då? Vad menar du?

Daniel Jo, han bodde i en gammal stuga i skogen, utanför en liten by. Man slog
nästan i huvudet när man steg in, för det var så lågt i tak i hans lilla
verkstad.

Åsa Och du är ju inte så lång!

Daniel Nej, nej. När man beställde träskor, mätte han ens fötter först och skrev
in storleken i sin lilla svarta bok med en tjock svart blyertspenna. Sedan
gjorde han träbottnarna. De skulle torkas i flera dagar, innan de putsades.
När det var klart skulle lädret skäras till och formas, innan det spikades på
träbottnen och sedan målades träet. Tänk vilket arbete! Visste du inte hur
riktiga träskor görs? Nu måste jag hitta mina gamla slitna träskor!

Åsa Du, jag har verkligen ingen aning om var de finns. Det var ju omodernt en
tid, men nu har jag faktiskt sett att träskor börjar komma tillbaka, i olika
modeller och material, förstås. Modet svänger hela tiden, men det märks
att praktiska saker håller i längden. Praktiskt och praktiskt förresten, träskor
är kanske inte särskilt praktiskt för en polis. Det hörs ju när man kommer
klampande!

Daniel På jobbet behöver du ju inte ha dem. Förresten struntar jag i modet!

Åsa På tal om mode, mina kompisar har alltid det senaste, fastän de säger att de
aldrig har pengar. Och alla ser likadana ut!

UPPGIFT: Läs igenom dialogen en gång till och stryk under alla verb i s-passiv!

▣ Är det viktigt att ha märkeskläder och följa modet?

Så här svarade några ungdomar, som är den trendkänsligaste gruppen:

Sandra:
Ja, det är jätteviktigt hur man ser ut! Man måste ha lite nya kläder varje månad, för man tröttnar på dem man har. Om man inte är rätt klädd, är man inte välkommen i gänget.

Emma:
Ja, men bara för att man har märkeskläder behöver man inte vara snobb. Det som är dyrare är nästan jämt snyggare och av bättre kvalitet.

Jakob:
Nej, jag handlar ofta begagnat. Det blir mycket billigare och jag har jämt mina gamla jeans och tröja. Jag lägger hellre pengar på musik.

Björn:
Ja, man blir det man har på sig. Med fina märkeskläder känner man sig värdefull och respekterad. Alla har ju olika stil och med kläderna visar man sin identitet.

Matilda:
Nej, det spelar ingen roll. Det viktigaste är ändå hur man är som människa. Men man kan förstås inte klä sig hur som helst! Om man inte hänger med alls, kan man bli mobbad. Ingen vill ju att ens kompisar ska klä sig konstigt.

DISKUTERA: Varför betalar vi en massa extra för märkeskläder? Är det viktigt hur man är klädd? Blir du olika behandlad beroende på hur du klär dig? Vad brukar du tänka på när du handlar kläder? Använd så många ord och uttryck som möjligt från texten!

UPPSATS: Så här klär jag mig

Ett "passivt" frukostbord

En morgon tittade jag på mitt frukostbord och hittade många former av *s-passiv* på förpackningarna.

På frukostflingorna:
Förvaras torrt, ej över normal rumstemperatur.
Innehållet i det här paketet säljs efter vikt, ej volym.
Återförslutes för att bevara smaken.

På yoghurten:
Förpackningen kan återvinnas.
Omskakas varsamt.
Öppnas här.

På havregrynen:
Kokas på 2 minuter.

På juicen:
Spädes 1+4.
Öppnad förpackning förvaras vid högst +8°C.

På honungen:
Bör ej utsättas för direkt solljus.

På fruktkrämen:
C-vitaminhalten garanteras till angivet datum.

På marmeladen:
Marmeladen tillreds än i dag på samma sätt som när företaget grundades 1834.

UPPGIFT:
A. Stryk under s-passivformerna och förklara vad de betyder!

Om du har möjlighet:
B. Titta på saker i din egen kyl och i ditt köksskåp och se vilka ord med s-passiv du hittar!

Det svenska hemmet

Många svenska hem är möblerade med ljusa träslag, t.ex björk eller furu, och med textilier i ljusa klara färger.

Två personer som har betytt mycket för det svenska heminredningsidealet är konstnären *Carl Larsson* (1853–1919) och hans hustru *Karin* (1859–1928). Deras hem i Sundborn i Dalarna har blivit ett begrepp i Sverige inom heminredning och konst, och det är i dag en av Sveriges största turistattraktioner med tusentals besökare varje sommar.

Carl Larssons favoritmotiv var hans familj som han målade i vardagliga och festliga situationer i hemmet. Hans bilder har ställts ut över hela världen. De har kopierats i tusental och spridits till nästan alla svenska hem, där man har försökt ta efter det lantligt rustika, praktiska hemmet med en blandning av gamla och nya möbler, ofta målade i glada färger.

Karin Larssons textilier i ljusa färger och barnkläder, designade för lek och lättskötthet, var någonting helt nytt för sin tid och de är fortfarande populära.

Carl Malmsten (1888-1972), en legend inom svensk formgivning, hävdade att möbler ska vara vackra, bekväma och funktionella. Han var inspirerad av svensk hemslöjd, d.v.s. de praktiska föremål som män och kvinnor i århundraden tillverkat i trä, metall och textil för användning i det vardagliga livet. Mest känd har han nog blivit som inredare av offentliga miljöer, t.ex. Stockholms Stadshus och Ulriksdals slott, och för industriell möbeltillverkning. Hans möblerade hem har ofta visats på utställningar.

Carl Malmstens möbler förknippas med tidlöst vacker, bekväm och praktisk elegans.

Oavsett vilka det svenska hemmets idégivare har varit, är det möbelvaruhuset *Ikea* som kan sägas ha möblerat de svenska hemmen. Ikeas grundare, Ingvar Kamprads affärsidé om att alla skulle ha råd med vackra, bekväma möbler till ett rimligt pris har slagit igenom helt i Sverige i dag. Ikeas formgivare har ofta inspirerats av svensk tradition och tidigare formgivare som Carl och Karin Larsson och Carl Malmsten.

Typiskt för Ikea-möbler är att de har namn, t.ex. soffan Göteborg och bokhyllan Billy.

Nästan alla hem i Sverige har någon möbel från Ikea, också Kungliga slottet sägs det.

DISKUTERA: Hur vill du möblera din bostad? Vilken möbelstil passar dig bäst? Vilken stil gillar du inte alls? Varför? Använd så många ord och uttryck som möjligt från texten!

LÄSTIPS: *Sundborn eller Dagar av ljus* av Philippe Delerm

RESTIPS: Besök Carl Larssons hem i Sundborn i Dalarna.

Den viktigaste uppfinningen?

Vid millennieskiftet deltog Daniel i en tävling, där man skulle utse årtusendets viktigaste uppfinning. Många hade röstat som Daniel:

1:a   tryckpressen
"Man läser ju gärna tidningen till sitt morgonkaffe", tänkte Daniel.

2:a   glasögonen
"Ja, annars kunde man kanske inte se att läsa sin tidning."

3:a   transistorn
"Man vill ju höra både musik och nyheter, även när man är på semester. Kanske har man fest med sina vänner på stranden. Och man får kontakt med omvärlden."

Men telefonen?
"Man skulle väl känna sig isolerad utan den?"

Och klockan?
"Hur skulle man annars komma i tid till sina föreläsningar och sitt jobb? Solur är väl inte mycket att lita på i vårt klimat?" filosoferade Daniel vidare.

Vad tycker du är den viktigaste uppfinningen/upptäckten? Motivera ditt svar!

hjulet (ca 3500 f.Kr.)   hissen (1854)
glasögonen (1280)   grammofonen (1887)
tandborsten (1400-talet)   penicillinet (1928)
byxfickan (1580)   plastkassen (1960)
Eller något annat?

Ta reda på vilka som har uppfunnit eller designat dessa saker.

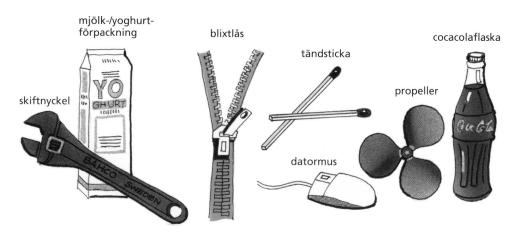

skiftnyckel · mjölk-/yoghurtförpackning · blixtlås · tändsticka · datormus · propeller · cocacolaflaska

Ingvar Kamprad – Ikeas grundare

■ Man brukar säga att Ingvar Kamprad är en typisk smålänning – idérik, envis och sparsam. Det var han som startade Ikea, möbelvaruhuset som i dag finns i ett 30-tal länder över hela världen. Alla varuhusen visar upp rum i svensk stil, med ljusa, enkla och inte alltför dyra möbler i modern design, men också mycket av husgeråd och hemtextil. Även om man bara åker dit för att titta, kommer man i alla fall ofta hem med småsaker som servetter, ljus och toalettborste. Oftast finns det också lekrum för barnen och en restaurang som serverar svenska köttbullar och pepparkakor till kaffet.

Ingvar Kamprad föddes 1926 i Småland och växte upp på gården Elmtaryd i den lilla byn Agunnaryd. Av initialerna fick han namnet till sitt företag – IKEA.

Hans affärsidé var att sälja praktiska möbler som alla hade råd att köpa. Då krävdes billig distribution. Därför packades möblerna i delar som kunderna själva tog hem i platta paket och satte ihop.

Det var också i Småland som det första Ikea-varuhuset öppnade 1958 och i Älmhult ligger fortfarande företagets bas. Möbeldelarna däremot tillverkas vanligen utomlands, t.ex. i Polen, Slovakien eller Rumänien.

Varje höst när den nya Ikea-katalogen kommer, recenseras den i tidningarna och den sägs vara Sveriges mest lästa skrift. Den visar nya trender och färger i hemmen.

Ingvar Kamprads affärsfilosofi är enkelhet, sparsamhet och mindre hierarki och det präglar även hans liv privat. Trots att han numera är en av de rikaste svenskarna lever han ett relativt enkelt liv. "Varför ska man åka taxi när det finns buss?" säger han.

Täck över texten och svara på frågorna!
1. Hur är en typisk smålänning?
2. Varifrån fick Ikea sitt namn?
3. Vad var Ingvar Kamprads affärsidé?
4. Var startades det första Ikeavaruhuset?
5. Vad vet du om Ikeas möbler?

Snö, is och kyla

Om man uppskattar is och snö, kan man åka till ishotellet i Jukkasjärvi utanför Kiruna.

Varje år byggs ett nytt hotell som invigs i början av december och förvandlas till smältvatten under våren. Det behövs 40 000 ton snö och 10 000 ton is, som hämtas upp ur Torneälven, för att bygga det 5 000 kvm stora hotellet. En utbildning i skulptur, arkitektur och byggnadskonst har startats för att få folk som snabbt kan bygga upp hotellet av ny fin is och av snöblock, som tillverkas med hjälp av två snökanoner. Alla möbler i hotellet görs också av den kristallklara isen och man kan beundra de vackra isskulpturerna, lamporna av is och ta ett glas i isbaren. En del is säljs dessutom både till andra delar av Sverige och utomlands, även till varma länder som Niger i Afrika.

Ishotellet kan ta emot 130 nattgäster, som sover i sovsäckar på djurhudar som breds ut över issängar. Det är tyst och kallt, temperaturen inomhus ligger mellan -3°och -6°C, men på morgonen kan man ta ett bastubad för att värma sig. Många besöker också hotellets kyrka, som är speciellt populär för barndop och bröllop.

UPPGIFT: Läs texten och stryk under alla verb i s-passiv. Skriv sedan verben i aktiv form.
DISKUTERA: Skulle du vilja bo på ishotellet? Varför? Varför inte?
RESTIPS: Ishotellet i Jukkasjärvi i Norrland

Minns du ordet? 7

Sätt in ordet i rätt form!

märka	göra	likadan	kräva	delta
hävda	förvara	oavsett	tillverka	utse

1. Alla ser ut på samma sätt.
   Alla ser _____ ut.

2. Man gör inte träskor på det gamla sättet längre.
   Träskor _____ inte på det gamla sättet längre.

3. Måste vi ställa kaffet i kylskåpet, frågade Daniel.
   Nej, sa Åsa, kaffe behöver inte _____ kallt.

4. Jag måste köpa en ny säng. Det spelar ingen roll vad den kostar.
   Jag måste köpa en ny säng _____ priset.

5. Man skulle välja den viktigaste uppfinningen.
   Man skulle _____ den viktigaste uppfinningen.

6. Hotellet är byggt av is.
   Hotellet är _____ av is.

7. Man kan se att svenskarna tycker om ljusa träslag.
   Det _____ att svenskarna tycker om ljusa träslag.

8. Har du varit med i en tävling någon gång?
   Har du _____ i en tävling någon gång?

9. Daniel behövde arbeta nästan en hel dag för att koppla ihop datorn.
   Det _____ nästan en hel dags arbete.

10. Carl Malmsten menade bestämt att möbler ska vara funktionella.
    Han _____ att det är viktigt att möbler är funktionella.

Alfred Nobel – den store donatorn

Svara kort på frågorna!

1. Hur länge har Nobelprisen delats ut?

   _____

2. När föddes Alfred Nobel?

   _____

3. Varför flyttade Immanuel Nobel till Ryssland?

   _____

4. Hur länge gick Alfred i skolan i Stockholm?

   _____

5. Vad hände i Stockholm den 3 september 1864?

   _____

6. Hur kan vi veta så mycket om Alfred Nobel?

   _____

7. Vem var Bertha von Suttner?

   _____

8. Hur långt var hans testamente?

   _____

9. Hur många pris skulle delas ut enligt testamentet?

   _____

10. När började man dela ut ekonomipriset?

    _____

11. Varför delas prisen ut den 10 december?

    _____

12. Hur stora var prissummorna år 1901 och år 2000?

    _____

8. Om jag vann en miljon

... Det är fredagskväll. Mormor och morfar, mamma och pappa och barnen Emilia, 16 år, Johannes, 12 år, och Arvid, 5 år, sitter och pratar efter middagen. Då frågar Johannes sin morfar vad han skulle göra om han vann en miljon.

– Ja, du Johannes, mormor och jag är gamla nu, säger morfar, och vi har allt vad vi behöver. Men om jag vann en miljon skulle jag nog sätta in en del på banken till er tre barnbarn. Pengar som ni sedan skulle kunna ha när ni blir stora och vill flytta hemifrån. Ni kan till exempel köpa möbler och husgeråd för dem. Det är dyrt att bygga upp ett hem. Sedan skulle jag kanske hjälpa era föräldrar genom att betala lite av lånet de har på huset. Och sedan skulle jag köpa riktigt bra skor till mormor och mig för vi tycker ju så mycket om att promenera. Resten skulle jag nog spara, för man vet aldrig vad som kan hända i framtiden.

– Usch, husgeråd, det skulle jag aldrig köpa om jag hade en miljon, säger Emilia. Det är så tråkigt. *Jag skulle först åka jorden runt under ett år.* När jag kom hem skulle jag köpa en gullig, liten bil och skaffa en mysig lägenhet med jättefina möbler. Jag skulle bjuda alla mina vänner på en stor fest som skulle hålla på i minst en vecka. Sedan skulle jag köpa en massa snygga kläder, åka till Paris och bli modell.

– Bra, då kan jag hälsa på dig, säger Johannes. Kläder och möbler ... tjejer. Jag skulle köpa den finaste motorcykel som finns och den bästa gitarren. Sedan skulle jag köpa en dator och all utrustning som behövs för att skriva musik direkt i datorn. Sedan skulle Patrik och jag starta ett band och spela min musik. Vi skulle spela in en cd och bli berömda. Ni kan få min autograf redan nu.

– Är ni realistiska nu? undrar mamma. Ni borde i stället spara pengarna och använda dem till att köpa en bostad när ni flyttar hemifrån. Tänk om pappa och jag hade haft en miljon när vi köpte det här huset. Då hade vi sluppit tänka på amorteringar och räntor nu.

– Er mamma har rätt, säger mormor. Man ska spara sina pengar och inte slösa bort dem på onödiga prylar. Arvid, vad skulle du göra om du hade en miljon?

– Jag skulle köpa ett slott och en jättestor dinosaurie som skulle bo med mig på slottet och skrämma alla som kom dit. Och så skulle jag köpa en affär med godis och glass.

DISKUTERA: Varför har de äldre och yngre generationerna så olika syn på pengar? Använd så många ord och uttryck som möjligt från texten!

Spel och spelare

Det sägs att:

Svenska folket spelade för 31 miljarder kronor 1999. Såväl gamla som unga spelar. Låginkomsttagarna spelade för cirka 3-4% av sin inkomst medan höginkomsttagarna satsade 1–1,5%. De flesta väljer att spela på hästar och andra spel där man får ett snabbt resultat. Varje år blir 500-600 svenskar miljonärer på spel. Några blir spelberoende och spelar bort allt de äger. De måste få behandling för sitt missbruk precis som narkomaner och alkoholister.

Varför spelar man?

Så här svarar fem slumpvis utvalda personer:

Josefin, 18 år:
Anledningen till att jag spelar är att jag vill flytta hemifrån och det är, som alla vet, dyrt. Därför har jag köpt en lott och nu hoppas jag på storvinsten. Men normalt spelar jag inte.

Fredrik, 39 år:
Jag har jobbat i 22 år nu och är *så* trött på det. Om jag vinner ska jag genast sluta jobba och flytta till Spanien eller ett annat land med bättre klimat. Det är min dröm.

Niklas, 26 år:
Det var en bra fråga. Jag antar att det är spänningen. Vi är några kompisar som spelar tillsammans varje vecka. Jag lägger ungefär 200 kr i veckan på spel och hoppas så klart på att bli miljonär inom en snar framtid.

65

Anita, 54 år:
Det skulle aldrig falla mig in att spela. Härom-
dagen läste jag någonstans att chansen att få
högvinsten i ett lotteri, jag har glömt vilket, är
1 på 128 miljoner. Så varför skulle jag slösa bort
mina pengar på något sådant?

Sixten, 73 år:
Det är ju så spännande. Jag vill inte påstå att jag
behöver pengarna, men det ger lite omväxling i
tillvaron att spela.

DISKUTERA: Spelar du? Vad skulle du göra
om du blev miljonär? Använd så många ord och
uttryck som möjligt från texten!

*"Den som har tur i spel har
otur i kärlek – och tvärtom"*

En fråga om moral

Det är kanske inte alltid så lätt att göra det som man tycker är rätt eller att vara ärlig.
Vad skulle du göra/säga

1. om du hittade 500 kronor/100 000 kronor på gatan?
2. om du såg några personer slå en liggande person på gatan?
3. om du visste att din bästa väns partner var otrogen?
4. om din bästa väns partner ville vara tillsammans med dig?
5. om du fick möjlighet att köpa en mycket fin cykel billigt men du misstänkte att den var stulen?
6. om någon i din bekantskapskrets drack för mycket alkohol?
7. om din bästa vän hade en ny frisyr som du tyckte var förfärlig?
8. om du upptäckte att 200 000 kronor hade blivit insatta av misstag på ditt bankkonto?
9. om en god vän luktade mycket svett?
10. om du fick 100 kronor för mycket tillbaka i affären?
11. om du köpte en vara på avbetalning men aldrig fick någon räkning?
12. om du såg en person ligga på gatan och han verkade berusad?
13. om du i en affär såg att en person tog en tröja och lade ner den i sin väska?
14. om en person på en fest drack mycket och sedan tänkte köra bil hem?
15. om du på en loppmarknad fick chansen att köpa en silverkanna för 15 kronor därför att säljaren trodde att den var gjord av en värdelös metall?

UPPSATS: Välj en eller ett par av frågorna och skriv vad du anser.

Stjärnor inom sporten

▪▪▪ 1978 fick Sverige två nya idoler, den tystlåtne slalomåkaren Ingemar Stenmark och den mer utåtriktade tennisspelaren Björn Borg. Båda var 22 år gamla, och båda var världsstjärnor.

Björn Borg var bara 15 år när han slutade skolan och satsade helt på tennisen. När han hade vunnit Wimbledon fem gånger i rad och blivit världsmästare i tennis tre gånger utbröt en "tennisfeber" i Sverige. Massor av barn började spela tennis, för de hoppades att de också, liksom Björn Borg, kunde bli världs- mästare en dag. Efter Björn Borg har flera svenska tennisspelare, som Mats Wilander och Stefan Edberg, varit mycket framgångs- rika.

Samma sak hände när Ingemar Sten- mark vann flera världsmästerskap och olympiska guldmedaljer i slalom och storslalom. När Stenmark tävlade "stod Sverige stilla". Överallt, i skolor och på arbetsplatser, följde man hans åk via tv:n. Under sin karriär vann Stenmark 86 världscuptävlingar.

Bland alla duktiga alpina åkare som följt i Stenmarks spår kan nämnas Pernilla Wiberg och Anja Pärson.

I bordtennis har Jan-Ove Waldner och Jörgen Persson haft stora framgångar. Sverige och Kina har flera gånger tävlat om världsmästartiteln.

DISKUTERA: Vilken är din favoritsport? Har du någon idol inom sporten? Sportar du regelbundet?
UPPSATS: Skriv och berätta om din favoritidrottsman/-kvinna.

Vinna till varje pris?

▪▪▪ Sommaren 2000 meddelade häcklöparen Ludmila Engquist att hennes friidrotts-
karriär var slut. På grund av skador tvingades hon sluta med häcklöpning, strax före
Olympiska spelen i Sydney.

Ludmila Engquist föddes i Ryssland 1964 och tog sitt första VM-guld i 100 meter
häck 1991. Året efter fälldes hon för dopning, men hon blev senare frikänd sedan
hennes f.d. man och tränare hade erkänt att han dopat henne i hemlighet.

Ludmila började tävla för Sverige med sin nye, svenske man som tränare. 1996
tog hon OS-guld som första svenska kvinnliga friidrottare. Ständigt vann hon nya
segrar och visade en ovanligt stark vilja och träningsdisciplin. Trots personliga
motgångar kom hon hela tiden tillbaka och vann 90 % av alla lopp hon sprang. Hon
blev en förebild för många unga idrottskvinnor.

När Ludmila hade slutat med friidrotten bestämde hon sig för att satsa på en ny
karriär i vintersportgrenen bob. Den avbröts hastigt när det avslöjades att hon hade
dopat sig med anabola steroider.

DISKUTERA: Varför riskerar så många idrottsmän och -kvinnor sin karriär och hälsa genom
att ta förbjudna preparat?

1945 bildades Svenska korporationsidrottsförbundet, i dag kallat
Korpen som sysslar med motionsidrott på arbetsplatserna.
Föreningen *Friskis & Svettis* bildades 1978 och har nu föreningar på
de flesta platser i Sverige. Friskis & Svettis introducerade gympapass
till musik.

Allt fler har i dag ett stillasittande arbete och de inser att det är
nödvändigt med någon form av motion för att orka med vardagen.
Därför har det blivit allt populärare att gå på gym. Många går dit ett
par gånger i veckan och motionerar i grupp till musik, styrketränar
eller bygger upp sina muskler.

Rik och frisk

■■■ "Hellre fattig och frisk än rik och sjuk" heter det, men det har visat sig att den rike också är den friskaste.

Högre status hos kvinnor ger en god hälsa, medan låg status ger dålig hälsa. Det visar en studie som gjorts vid Karolinska institutet i Stockholm, där man jämfört 300 friska kvinnor med en lika stor grupp hjärtsjuka kvinnor. Studien visar att kvinnor med lågstatusjobb löpte fyra gånger så hög risk att bli sjuka jämfört med kvinnor med högstatusjobb. Hos män är sambandet inte lika tydligt.

Världshälsoorganisationen, WHO, har tagit fram ett nytt sätt att beräkna förväntad medellivslängd. Tidigare räknade man bara med hur länge man förväntades leva, medan man numera utgår från både livslängd och hälsotillstånd.
Så här länge kommer vi att leva och vara friska enligt en WHO-rapport från år 2000:

1.	Japan	74,5 år
2.	Australien	73,2 år
3.	Frankrike	73,1 år
4.	Sverige	73,0 år
5.	Spanien	72,8 år
6.	Italien	72,7 år
7.	Grekland	72,5 år
8.	Schweiz	72,5 år
9.	Monaco	72,4 år
10.	Andorra	72,3 år

Så här placerade sig några andra länder:

13.	Nederländerna	72,0 år
14.	Storbritannien	71,7 år
22.	Tyskland	70,4 år
24.	USA	70,0 år
30.	Singapore	69,3 år

Tolka statistiken! Använd ord som *enligt, antal, andel, jämfört med, öka/minska, de flesta/det mesta*.

DISKUTERA: Vad menas med hög- respektive lågstatusjobb? Vad har jobbet med hälsan att göra? Vad säger siffrorna dig? Hur ska vi leva för att hålla oss friska längre? Hur gammal skulle du vilja bli?

En äventyrlig resa

■■■ År 1897 startade den svenske ingenjören och polarforskaren Salomon August Andrée en polarexpedition. Tillsammans med sina medarbetare Nils Strindberg och Knut Fraenkel skulle han flyga i ballong över Nordpolen. Det var ett stort och dyrbart projekt som stöddes av bl.a. kung Oskar II och Alfred Nobel.

Ballongen Örnen fylldes med vätgas och lyfte från Svalbard den 11 juli. Redan efter tre dygn kraschlandade den på isen, bara 480 km nordost om Danskön, platsen där expeditionen hade startat. De tre männen bestämde sig för att vandra med sina slädar över is och snö, mot Frans Josefs land, men isen drev och strömmarna förde dem söderut i stället, till Vitön där de slog läger i oktober. De åt kött av isbjörn, säl och valross som de sköt. Allt dokumenterades noggrant genom fotografier och Andrées dagboksanteckningar – men den 7 oktober slutade anteckningarna.

Inte förrän den 6 augusti 1930 hittade man den saknade Andrée-expeditionen och då fann man också dagboken, som gav svar på en del frågor om vad som hade hänt, och filmerna, som faktiskt kunde framkallas. Troligen dog de alla tre av trikinförgiftning, på grund av att de mot slutet hade ätit isbjörnsköttet rått. Först 33 år efter sin död fördes de döda polarforskarna hem och begravdes som hjältar i Stockholm.

I Andrées födelsestad, Gränna, finns i dag ett museum där man bland annat kan se fotografierna från ballongfärden och den långa vandringen över isen.

Örnen fotograferad av expeditionen efter haveriet den 14 juli 1897

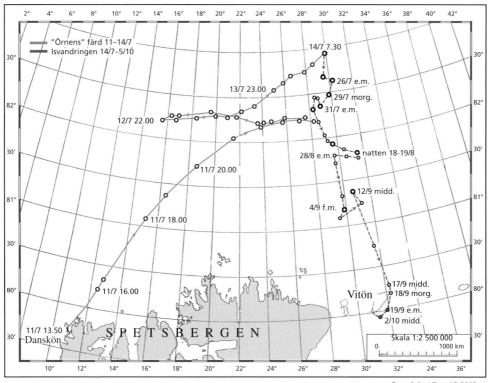

Copyright Liber AB 2002

Täck över texten och svara på frågorna!

1. När startade Andrées polarexpedition?
2. Vem skulle flyga i ballongen?
3. Hur länge var ballongen uppe i luften?
4. Hur dog ballongfararna, tror man?
5. Efter hur lång tid hittade man männen?
6. Hur kan man veta så mycket om expeditionen?

LÄSTIPS: *Ingenjör Andrées luftfärd av* Per Olof Sundman eller se filmen med samma namn.

RESTIPS: Andréemuseet i Gränna i Småland

71

Minns du ordet? 8

Sätt in ordet i rätt form!

slösa	äga	hellre	en rest	anta
en hälsa	dyrbar	onödig	erkänna	böra

1. Vad ska du använda de pengar som du har kvar till när du har köpt bil?

   Vad ska du använda _____ av pengarna till?

2. Mormor har en klocka som har kostat mycket pengar.

   Hon har en _____ klocka.

3. Morfar köper aldrig saker som han inte behöver.

   Han använder inte pengarna till _____ saker.

4. Läraren är ofta sjuk.

   Han har dålig _____.

5. Familjen har ett eget hus.

   De _____ sitt hus.

6. Åsa tycker att det skulle vara bra om Daniel bäddade sin säng.

   Hon tycker att han _____ bädda sin säng på morgnarna.

7. Mormor tycker att ungdomar använder sina pengar till fel saker.

   Ungdomar _____ bort sina pengar, tycker mormor.

8. Han sa att det var han som hade tagit hundralappen.

   Han _____ att det var han som hade gjort det.

9. Daniel var inte riktigt säker, men han trodde att Åsa gillade datorn.

   Daniel _____ att hon var lika glad som han över den nya datorn.

10. Åsa tycker bättre om fisk än kött.

    Hon äter _____ fisk än kött.

Vad är lycka?

Svara kort på frågorna!

1. Vilka är lyckligast i världen enligt undersökningen, rika eller fattiga?

   _____

   _____

2. Nämn något som anses vara viktigare än pengar.

   _____

   _____

3. Hur lyckliga var de som hade högst inkomst i förhållande till befolkningsgenomsnittet i Danmark?

   _____

   _____

4. Kan forskarna bevisa sina teorier om "lyckogener"?

   _____

   _____

5. Vad gör många människor när de känner sig lite deppiga och ledsna?

   _____

   _____

6. Vad kan det bero på att vissa har så svårt att sluta röka?

   _____

   _____

7. Vad är endorfiner?

   _____

   _____

8. Hur utnyttjar läkemedelsindustrin dessa teorier?

   _____

   _____

9. Vad är forskarna inte överens om när det gäller lycka?

   _____

   _____

10. Vilken betydelse har skrattet för hälsan?

    _____

    _____

9. Att sortera eller inte sortera

– Men mamma! Du menar väl inte att du kastar mjölkförpackningarna så där!

– Och vad tycker du att jag ska göra?

– Du måste naturligtvis skölja ur dem och kasta dem i papperscontainern för återvinning.

– Daniel, lyssna nu noga. Jag tänker inte slösa en massa tid och vatten på att diska och skölja ur förpackningar som jag ändå ska kasta. Man talar aldrig om att diskmedel och varmvatten också är energikrävande och skadar miljön. Folk tror att alla miljöproblem löser sig bara den lilla människan återvinner. Jag är så trött på detta eviga tjatande om sopsortering. Och nu vill de att jag ska spara gammal mat också för att återvinna den. Jag vill bara inte tänka på stanken om jag skulle spara räkskal under diskbänken en varm sommar. Usch, vad äckligt! Och tänk på alla plastpåsar som jag måste använda till soporna. Är inte det miljöförstöring?

– Alltså, du har missförstått det där med gammal mat. Du ska inte spara den under diskbänken utan du ska ha en liten låda på altanen och ha en kompost där. Det är jättelätt. Du lägger några maskar i lådan bland potatisskal och annat och vips har du fin jord till dina krukväxter. Så slipper du att köpa och bära hem tung blomjord från affären.

– Hela trädgården är full av jord så jag tror inte att jag behöver mer. Men jag kanske ska ha en liten gris som kan äta allt matavfall ... Dessutom såg jag på tv att man bara låter t.ex. glas, som vi sorterat, ligga i stora högar, glasberg. Man återvinner det alltså inte. Hur skaffade du förresten maskar till din kompost?

– Hm, jag har ingen kompost än för jag har inte hittat en lämplig låda. Och maskar, jag tror att man kan köpa dem ...

DISKUTERA: Vad säger du om Daniels mammas argument mot att sortera? Hur skulle du svara henne? Använd så många ord och uttryck som möjligt från texten!

Visste du att:

Återvinning i Sverige

Över 90% av alla aluminiumburkar som har pant återlämnas.

80% av de återvinningsbara PET-flaskorna lämnas tillbaka.

Tidningar består av 40-50% returpapper. Returpapper kan användas upp till sju gånger.

En undersökning från Göteborgs universitet, år 2000, visar att:

54 av 100 svenskar sopsorterar, men bara 4 av 100 tycker att miljön är en av de viktigaste samhällsfrågorna, vilket kan jämföras med 62% år 1988 och 15% 1990.

I stället tycker 41% att det är sjukvård som är viktigast numera.

Endast 3% anser att alkohol och droger är en viktig samhällsfråga.

54% är intresserade av politik, 71% gillar monarkin, 33% är medlemmar i en idrottsförening och 5% i en miljöorganisation.

Personkilometer efter färdsätt och kön

Källa: SIKA 3

Antal bilar i Sverige

1959	en miljon
1968	två miljoner
1983	tre miljoner
2000	fyra miljoner

Sverige kommer på 17:e plats i världen när det gäller att producera sopor, med 370 kg per invånare och år. Etta ligger USA med 730 kg och på andra plats Australien med 690 kg per invånare och år.

Källa: The Economist (2000)

Tolka statistiken! Använd ord som *enligt, andel, jämfört med, öka/minska, de flesta/det mesta.*

– Jag äter aldrig livsmedel som behandlats med kemiska tillsatser, och jag äter heller aldrig sådant som innehåller konserveringsmedel eller har besprutats.

– Jaså, hur känner du dig då?

– Hungrig!

DISKUTERA: Privatbilismen och miljön. Är du en medveten konsument? På vilket sätt är du det i så fall? Hur avgör du vilka produkter du köper? Tänker du på att handla miljövänligt?

Massturismen – ett hot mot miljön?

▪▪▪ Under den senare delen av 1960-talet började allt fler svenskar semestra utomlands. Resmålen var främst Italien och Spanien. Sedan dess har turistströmmen till de här länderna ständigt ökat och länderna kring Medelhavet tar i dag emot miljoner frusna nordbor varje sommar.

Visst är det härligt att uppleva nya kulturer och njuta av sol och bad. Men turismen har också en baksida. Varje år kommer det nya resmål. Små pittoreska platser som ligger naturskönt. Turisterna söker sig dit och efter några år har idyllen förvandlats till en opersonlig turistindustri. Hotellen ligger sida vid sida längs stranden. Vattnet har blivit smutsigt. Naturen i omgivningarna bär överallt spår efter turisterna. Lokalbefolkningen har övergett sina vanliga jobb och börjat arbeta inom turistindustrin. Idyllen är försvunnen. Då väljer turisterna ett nytt fräscht resmål och kvar finns tomma hotell, arbetslöshet och en förstörd natur.

På senare år har en del turister emellertid börjat fråga efter resor där man inte förstör miljön. Den här typen av turister kan tänka sig att resa på ett mer primitivt sätt. De vill också resa till platser där de kan lära sig mer om den lokala kulturen och gärna uppleva sådant som inte brukar finnas på vanliga charterresor, till exempel titta på bergsgorillor i deras normala miljö. Den här sortens turism kallas ekoturism. Men vad kommer att hända när allt fler vill vara ekoturister och uppleva bergsgorillorna eller delfinerna i deras rätta miljö?

En bra turist
– köper lokala varor
– har en respektfull attityd och "tar seden dit han kommer"
– köper inte saker som är tillverkade av utrotningshotade djur eller växter
– informerar sig om resmålet.

Det sägs att
– turism och resande omsätter 2 500 miljarder dollar per år
– en jumbojet förgiftar 2 miljoner liter luft i sekunden när den startar.

DISKUTERA: Hur tror du att vi kommer att semestra i framtiden? Hur kan vi semestra på ett miljövänligt sätt? Vad finns det för positivt med turismen?
UPPSATS: Min drömresa. Skriv och berätta om din drömresa!

Bärnsten – Östersjöns guld

▣ Om man går längs en strand på Skånes öst- eller sydkust efter en höststorm kan man hitta små gulaktiga stenar i strandkanten – bärnsten.

Bärnsten (succinit) kallas bitar av förstelnad kåda (hartser) som är kvarlevor från utdöda tallarter som växte i Östersjöområdet för ca 50 miljoner år sedan, långt innan Östersjön fanns. Kemiskt består mineralet av kol (C), väte (H), och syre (O). Bärnstenen är vanligen gul i olika nyanser, ofta genomskinlig, och innehåller inte sällan rester av insekter och växter.

I norra Europa finner man bärnsten framför allt längs södra Östersjöns kuster och på Danmarks västkust. Man brukar tala om bärnstensväder, och menar då hårt väder, gärna storm från sydväst. Då förs de gula stenarna, och mycket annat, upp på stränderna med de kraftiga strömmarna i havet.

Bärnsten har sedan forntiden använts till smycken och prydnadsföremål. Den användes också som betalningsmedel i Östersjöområdet och var länge en viktig bytesvara i handeln med folken i södra Europa. Bärnsten har hittats i gravar bl.a. i

Stonehenge i södra England. Det sägs att t.ex. vikingarna kunde byta till sig en slav i södra Europa för en ganska liten sten.

Under 1600- och 1700-talen ansågs bärnstenen så värdefull i nuvarande Tyskland att man riskerade dödsstraff om man plockade den.

Bärnsten ansågs förr ha magiska krafter, eftersom den kan bli negativt elektrostatiskt laddad. Den kallades därför av grekerna för elektron, och därifrån sägs ordet elektricitet komma.

Täck över texten och svara på frågorna!

1. Var kan man hitta bärnsten i Sverige?
2. Vad menas med "bärnstensväder"?
3. Vad är bärnsten?
4. Hur ser bärnsten ut?
5. Vad använde man bärnsten till?
6. Hur mycket kunde vikingarna få betala för en slav?
7. Varför ansågs bärnstenen ha magiska krafter?

Hur vet man om bärnstenen är äkta och inte bara en bit plast?

Här är tre tips:

• Gnid bärnstenen kraftigt mot dina kläder och om du sedan kan lyfta en liten bit papper med bärnstenen är den äkta.

• Lägg bärnsten i fyraprocentigt saltvatten. Flyter den så är den äkta, men sjunker den är den kanske gjord av plast.

• Sätt eld på bärnstenen. Luktar röken gott är den äkta men luktar den plast är den stenen gjord av ... ja just plast.

RESTIPS: Bärnstensmuseet i Kämpinge i sydvästra Skåne

Dofta eller lukta

■■■ Ordet dofta förknippar vi ofta med något som luktar gott till exempel parfym och god mat. Verbet lukta kan man använda både positivt och negativt – det luktar gott eller illa. Om vi tycker att något luktar mycket illa kan vi säga att det stinker.

Vi har i dag deodoranter, förutom för hela kroppen, speciellt effektiva för arm-hålorna, fötterna och handflatorna. Skulle våra möbler, gardiner eller gymnastikskor lukta kan vi spraya deodorant på dem så försvinner lukten. Många duschar minst en gång per dag och tvättar håret varje dag. Allt fler blir allergiska mot olika kosmetiska preparat och rengöringsmedel. Kan det bero på att vi tvättar oss själva, våra kläder och vår bostad för mycket? Är vi på väg mot ett luktfritt samhälle med en massa allergiska och överkänsliga människor?

Det sägs att
   vi använder 78 000 ton smink-och hygienprodukter per år
   svenskarna lägger 7,1 miljarder kronor på smink-och hygienprodukter per år
   svenska män ägnar 23 minuter om dagen åt sitt utseende
   svenska män köper hår- och hudvårdsprodukter för över 300 miljoner kronor per år.

Tyskarna lägger ut mest pengar på smink och parfym.
Fransmän, spanjorer och portugiser använder mest parfym i Europa.
Svenskar, finnar, italienare och britter köper mest smink.

Källa: The European Cosmetic, Toiletry and Perfumery market 1997

Tolka statistiken! Använd ord som *enligt, antal, andel, jämfört med, öka/minska, de flesta/det mesta.*

DISKUTERA: Vad är det som gör att vi tycker att något luktar gott eller illa? Varför är vi så rädda för att lukta? Vilka hygienprodukter och rengöringsmedel skulle du inte kunna vara utan? Vad kan man säga om statistiken? Använd så många ord och uttryck som möjligt från texten!

Cornelis Vreeswijk
– en kontroversiell visdiktare

■■■ Artisten Cornelis Vreeswijk satte med sin mycket personliga stil sin prägel på den svenska viskonsten. Han var på många sätt en äventyrare och rebell som lekte med ord och skojade med etablissemanget. Men idag är hans sånger älskade av nästan alla i Sverige.

Cornelis Vreeswijk var 12 år gammal när han och hans familj flyttade från Nederländerna till Sverige. Hans far, som en gång hade varit i Sverige, hade blivit förtjust i landet.

När Cornelis hade slutat skolan arbetade han under några år som bl.a. sjöman, men hans dröm var att få arbeta inom något konstnärligt yrke. Starkt inspirerad av bluesen och jazzen började Cornelis skriva visor.

År 1964 kom hans första LP-skiva *Ballader och oförskämdheter* ut. Han fick snart en stor publik inte minst för sina humoristiska visor "Brevet från kolonien" och "Hönan Agda". Cornelis själv tyckte dock att de här två visorna fick alltför stor uppmärksamhet. De flesta av hans övriga texter var mycket frispråkiga och samhällskritiska och han tog alltid de svagas parti. Under en tid var t.o.m. en del av hans visor förbjudna att spelas i Sveriges radio. På LP-skivan *Tio vackra visor och personliga Person* visar han att han även kunde skriva och framföra mycket sensuell musik.

Cornelis arbetade inte bara med eget material utan spelade också in skivor med visor av bl.a. Carl Michael Bellman och Evert Taube. Han tolkade dem på ett nytt, personligt sätt. Under sin livstid hann han också med att medverka i några filmer och teateruppsättningar.

Tidvis levde Cornelis som en bohem och trots att han var så populär och sålde massor av skivor hade han inte mycket pengar kvar när han dog 1987, bara 50 år gammal. Efter hans död har det fortsatt strömma in pengar från hans skivor och på hans födelsedag firas varje år "Cornelis-dagen" på Mosebacke-terrassen i Stockholm. Höjdpunkten är när man delar ut Cornelisstipendiet, som är på ungefär en kvarts miljon kronor, till en aktuell artist.

> Somliga går med trasiga skor.
> Säj, vad beror det på?
> Gud fader som i himmelen bor
> kanske vill ha det så.
>
> ur *Somliga går med trasiga skor*

Täck över texten och svara på frågorna!

1. Varför kom Cornelis till Sverige?
2. Vilken musikriktning var han inspirerad av?
3. Vad är Cornelisstipendiet?
4. Sjöng Cornelis bara sina egna visor?
5. Vilket annat konstnärligt yrke ägnade han sig också åt?
6. Vilka teman hade hans texter ofta?

LYSSNA PÅ: Samlings-cd:n *Mäster Cees Memoarer.*

RESTIPS: Cornelismuseet i Gamla Stan i Stockholm.

Minns du ordet? 9

Sätt in ordet i rätt form!

missförstå	lämplig	skaffa	sjunka	sortera
öka	bruka	främst	anse	jämföra

1. Priset på kaffe har blivit lägre, läser Åsa i tidningen.

   Priset på kaffe har _____.

2. Margit tänker inte ha en låda på balkongen med matrester och maskar.

   Hon tänker inte _____ sig en kompost.

3. Bara fyra av hundra personer tycker att miljön är den viktigaste frågan.

   Det är inte så många som _____ att miljön är viktigast.

4. Daniel kopplade ihop datorn fel för han förstod inte instruktionerna.

   Han hade helt _____ instruktionerna.

5. Allt fler turister åker på charterresa.

   Antalet charterturister har _____.

6. Resmålet var oftast Italien.

   Resmålet var _____ Italien.

7. Det är vanligt att miljöfrågor ingår i olika kurser på universitetet.

   Miljöfrågor _____ ingå i olika kurser på universitetet.

8. Åsa är noga med att kasta olika sopor i olika containrar.

   Hon tycker att det är viktigt att _____ sina sopor.

9. Daniel undrar om det passar att ringa efter filmen.

   Han undrar om det är _____ att ringa efter filmen.

10. Åsa tittade noga på priserna för hon ville köpa den billigaste frukten.

    Åsa _____ priserna på frukten.

Äpplet – kunskapens frukt

Svara kortfattat på frågorna!

1. Vad är ett musteri?
   _____
   _____

2. Var i landet odlas flest äpplen?
   _____

3. Hur många kilo äpplen köper medelsvensken per år?
   _____

4. Hur stor del av dem odlas i Sverige?
   _____

5. Varifrån importerar Sverige äpplen?
   _____
   _____

6. Hur länge vet man att det har odlats äpplen i Europa?
   _____

7. Vem var Idun?
   _____

8. Varifrån kommer uttrycket kunskapens frukt?
   _____

9. Vem var Wilhelm Tell?
   _____
   _____
   _____

10. Hur, sägs det, fick Isaac Newton idén till gravitationsteorin?
    _____
    _____
    _____

10. Knäckebröd – traditionell hälsokost

▣ Svenskarna älskar knäckebröd. Det hör till sill och potatis på sommaren, det kan brytas i småbitar över filmjölken, ett par knäckemackor med smör får ibland ersätta en mindre populär rätt i skolmatsalen och det kan kännas som ett nyttigt alternativ för dem som bantar. Många svenskar som vistas utomlands längtar allra mest efter knäckebröd!

Vi äter i genomsnitt fem kilo knäckebröd per person och år, mindre i södra Sverige och mer i norra. Det sägs också att knäckebrödet kommer från Norrland från början.

Före industrialiseringen bakade man bara ett par gånger om året, och för att brödet skulle hålla sig, torkade man brödkakorna. Det runda brödet hade ett hål i mitten för att kunna hängas upp på en stång i taket när det torkades. Brödet blev så hårt, när det hade torkats, att man måste doppa det i till exempel mjölk för att kunna äta det. På 1500-talet kallades bröden "spisbröd" och var tjocka kakor som bakades av rågmjöl och med surdeg.

Under 1700-talet bakades brödet tunnare och mönstrades med ett verktyg som kallades "krusknäck", därifrån fick knäckebrödet sitt namn. Det tunnare brödet gick förstås lättare att bryta och tugga.

Så småningom startades speciella bagerier dit man lämnade mjölet och då kunde man även baka bröd till försäljning.

I dag kommer större delen av det knäckebröd vi äter i Sverige från Wasabröd i Filipstad, ett företag som grundades 1919. Där bakas hårt bröd av olika sorter, men ett av de mest uppskattade är det klassiska mörka grova brödet. Det runda traditionella knäckebrödet, som helst ska se handgräddat ut som förr i tiden, har också blivit populärt på nytt. Ju mer medvetna vi blir om att äta fiberrikt, desto mer knäckebröd äter vi och knäckebrödet är idag vårt mest exporterade svenska bröd.

UPPGIFT: Formulera 5 meningar om brödet som börjar: "Visste du att ..."
Tänk på ordföljden i bisats!

Två bullar med traditioner

▪▪▪ Fastlagsbullen

I det gamla Sverige fastade man 40 dagar före
påsk, och den sista tisdagen före fastan kallades
fettisdagen.

Främst på fettisdagen, men också hela januari
och februari är det fortfarande vanligt att man
äter fastlagsbullar. Det är en delad, rund vete-
bulle fylld med mandelmassa och vispad grädde
med florsocker på locket.

Om man serverar den i het mjölk, kanske med kanel, kallas den hetvägg, annars
säger vi fastlagsbulle eller semla, beroende på var i Sverige vi befinner oss.

Det sägs ibland att kung Adolf Fredrik, Gustav III:s far, var mycket förtjust i
fastlagsbullar, och att det möjligtvis ledde till hans död. Han dog i februari 1771 när
han just hade ätit fastlagsbullar i het mjölk som avslutning på en stor måltid.

Lussekatten

Från Lucia, den 13 december, och fram till jul, äter vi ofta lussekatter till kaffet.
Det är en solgul vetebulle, som har smaksatts med saffran och russin. Lussekatterna
bakas ut i olika traditionella former, hämtade från gamla tiders julbröd. Till baket
används saffran, som kommer från pistillen på krokusen Crocus Sativus.
Närmare 70 000 blommor behövs för att få ett kilo
saffran, men så är också kilopriset mycket högt,
saffran är vår absolut dyraste krydda. Blommorna
plockas i mitten av oktober, tidiga morgnar och
rensas för hand. Saffran har genom tiderna använts
som krydda, färgmedel eller medicinalväxt, mot
bl.a. hosta, tandvärk och för sin uppiggande effekt.
Den saffran vi använder i Sverige har främst odlats
i Spanien.

Vem har rätt?

Följande insändare fanns häromveckan i en vanlig dagstidning:

Vem är det fel på egentligen?

Jag är en gift medelålders man med två tonårsdöttrar.

Vi har alltid haft ett bra familjeförhållande tills för några månader sen, i alla fall. Då gick min fru och mina döttrar på en matlagningskurs. Efter det är inget sig likt. Inga goda middagar med vanlig hederlig husmanskost när man kommer hem efter en tröttsam dag på jobbet. Ingen korv, inga bruna bönor med knaperstekt bacon, inga härligt doftande fläskkotletter med kokt potatis och brun sås, ingen söndagsstek ...

Nej, nu är allt kött bannlyst, det är bara sojabiffar, grovt, oätligt ris, grönsaker och olika juicer. Sojabiffar!!! Bara ordet får mig att må illa. Biff, det är kött det, inte tillplattad, illaluktande röra. Får man kalla saker för vad som helst?

Förstå mig rätt, de får gärna äta vad de vill. Men *jag* vill ha – och behöver – riktig mat! "Det är för ditt eget bästa", får jag höra om jag försöker protestera. "Vi vill att du ska må bra. Du säger att du gillar djur, men det verkar inte så. Ta ditt ansvar!" Det är ju det jag försöker göra.

Människan är allätare och har alltid varit det, försöker jag säga, men ingen lyssnar. Vad ska jag göra?

Hjälp en morotsjuicehatande korvälskare!
P.S. Måste katten också bli vegetarian?

Några dagar senare kunde man läsa en annan insändare i samma tidning:

Vad ska vi göra med pappa?

Min syster och jag är övertygade vegetarianer. Vi inser hur fel det är att föda upp djur i fångenskap, och sedan bara döda dem och äta deras kött och inälvor. Djur är levande varelser som har känslor! Stoppa djurens lidande! Mamma har samma inställning som vi. Men pappa bara gormar och skriker att han vill ha "riktig mat". Han kan inte förstå vad vi menar. Är han korkad, eller?

Det är äckligt att höra honom svamla om korvar och bacon och jag vet inte allt. Är någon annan i samma situation som vi?

Hör av er!

Fröken Vega Taria
P.S. Vi misstänker att pappa smyger iväg till en korvkiosk ibland. Det är så man kan spy!

DISKUTERA: Vilka är dina reaktioner på insändarna? Argumentera för och emot pappan och dottern. Hur påverkas vi av debatter om sjuka djur och djurhantering? Använd så många ord och uttryck som möjligt från texten!
UPPSATS: Välj en av insändarna och skriv ett svar!

Sällskapsdjur

::: För många människor är sällskapsdjuret som en familjemedlem och vän. Man pratar med sin hund och anförtror den sina innersta tankar och hemligheter. Man har katten i knät och lyssnar på det rofyllda spinnandet när man klappar den.

Många undersökningar har visat att de som har husdjur

- är mer harmoniska
- har lättare att klara av krissituationer
- är mindre aggressiva
- har färre sjukdagar
- har lättare att känna medkänsla för andra människor
- får mer motion
- känner sig mindre ensamma.

"Hunden är människans bästa vän"

De vanligaste djur som vi har inomhus är hundar, katter, akvariefiskar och burfåglar. Många barn vill också ha ett marsvin, en hamster eller en kanin. Det finns också de som gillar att ha ormar, ödlor och spindlar som sällskapsdjur.

> I Sverige finns cirka 700 000 hundar. Vart femte hushåll har hund och dagligen kommer 2,5 miljoner människor i kontakt med hunden.
> Det finns ungefär en miljon katter i Sverige.
> I västvärlden finns ca 100 miljoner katter.
>
> Källa: Sveriges Lantbruksuniversitet

Tolka statistiken! Använd ord som *enligt, antal, andel, jämfört med, öka/minska, de flesta/det mesta.*

DISKUTERA: Vad har du för erfarenhet av husdjur? Vilken funktion fyller husdjuret för dig? Är det rätt att ha djur i fångenskap? Vilka djur är inte lämpliga som sällskapsdjur? Ska man låta hunden och katten också äta vegetariskt om man själv är vegetarian?
Använd så många ord och uttryck som möjligt från texten!

Drycker som njutningsmedel

▨▨▨ Öl

I Mesopotamien har arkeologer hittat rester av öl som är från 4000-3000 f.Kr. Det äldsta ölreceptet har man funnit på en lertavla som är nästan 4000 år gammal.

De äldsta arkeologiska fynden av öl i Norden är från ca 1500 f.Kr. I Danmark har man funnit två dryckeshorn som har innehållit öl och mjöd.

Vikingarna drack både öl och mjöd. Öl verkar ha varit deras vardagsdryck medan de drack mjöd vid ritualer i samband med religiösa högtider och till fest.

Mjöd, som huvudsakligen består av vatten, honung och jäst, är en sällsynt dryck i dag.

"Öl ger starkt hår och starka naglar."

Vin

Vin är kanske ännu äldre än öl. Vi vet att man odlade vin på 6000-talet f.Kr i Mesopotamien.

Bland de grekiska gudarna finner vi vinets gud, Dionysos. Vinguden firade man med en vinfest, Dionysosfesten, som varade en vecka. Öl ansågs barbariskt att dricka. Eftersom vinet verkar ha haft en styrka motsvarande dagens starkvin blandade man det oftast med vatten.

Konsten att odla vin spreds sedan till Italien och under de första århundradena e.Kr. till Frankrike och Tyskland. Idag producerar man vin på många håll i världen, bl.a. i länder som USA, Argentina, Sydafrika, Chile, Australien.

"Ett glas vin om dagen är bra för hjärtat, sägs det."

Kaffe

Araberna var de första som på allvar började konsumera kaffe. Vanan spreds sedan till turkarna. Venedig var den första stad i Europa där man drack kaffe men det dröjde inte länge förrän man kunde få tag i kaffe även i England och Frankrike.

I Frankrike sjönk vinkonsumtionen tillfälligt när man började dricka kaffe. I slutet av 1600-talet kom kaffet till Sverige, men det fanns bara på apoteken. Det var Karl XII som efter sin vistelse i Turkiet gjorde drycken populär bland adeln i Sverige i början av 1700-talet. Hos de stora massorna blev kaffe riktigt populärt först i mitten av 1800-talet. Kaffehus öppnades då på många platser.

Brännvinskonsumtionen sjönk när folk började dricka kaffe. Sverige tillsammans med Finland ligger i dag i topp när det gäller kaffe-konsumtion i världen.

"Känner du dig trött – ta en kopp kaffe!"

Choklad

Tack vare Columbus upptäckt av Amerika kan vi i dag njuta av choklad. När Columbus kom till Mellanamerika fann han att indianerna använde något som hette xocolatl som dryck och betalningsmedel.

Det var en bitter dryck och alltså inte särskilt god. Så småningom kom spanjorerna på att tillsätta socker och vanilj och vår choklad-dryck var född.

I början av 1500-talet kom chokladen till Europa. Det var det spanska kungahuset som först kunde njuta av drycken men efter en tid blev den allmänt känd och man började även servera choklad på kaffehusen. Det är känt att vi här i Sverige har druckit choklad sedan slutet av 1600-talet.

"Drick choklad och bli glad!"

UPPSATS: Här ovan finns fakta om fyra populära drycker. Ta reda på fakta om te och skriv en uppsats!

Rökning en 500-årig ovana

När Columbus kom till Västindien 1492
såg han indianer som rökte blad som
de hade skurit i bitar och sedan
rullat in i ett annat blad. Denna
"rulle" var föregångaren till det vi
kallar cigaretter och cigarrer. Det dröjde
inte länge förrän tobaksrökning spreds i Europa.

Under senare delen av 1800-talet började man producera
cigaretter maskinellt. Då ökade också cigarettkonsumtionen markant medan man
började röka mindre cigarr och pipa. Fram till första världskriget var det mest män
som rökte men sedan blev det allt vanligare att även kvinnor rökte offentligt. På
1920- och 1930-talen framställdes cigarettrökning som något glamoröst. I filmer
från den tiden kan vi se eleganta kvinnor med långa cigarettmunstycken i händerna.
I filmerna i dag ser man sällan någon som röker och om det finns är det ofta
en socialt utslagen person. Röken låg tjock på jazzklubbarna på 1950-talet. Det
ansågs kulturellt och intellektuellt att röka. Vissa forskare påstod till och med att det
stimulerade tankeverksamheten. På 1960-talet kunde vi höra sånger om hur bra det
var att röka och i reklamen njöt snygga människor av en cigarett.

Under de senaste åren har kampanjen mot rökning blivit allt starkare. Icke-
rökarna protesterar mot att de utsätts för passiv rökning. Vi kan inte längre röka på
arbetsplatserna eller i offentliga miljöer. De flesta flygbolag har infört rökförbud.
Nästan alla restauranger har en avdelning för rökare och en där det är rökfritt.
På en del restauranger har man gått så långt att man har totalförbjudit rökning. I
USA lär det finnas städer där man varken får röka på gatorna eller i sin egen bil.
Tobaksreklam är numera förbjuden i många länder.

Parallellt med tobaksrökning har det sedan 1800-talet varit populärt med snus i
Sverige. Snus är tobak som man har malt. I dag kan man köpa den i påsar som liknar
små tepåsar och som man lägger under läppen. Många slutar röka och börjar snusa i
stället. På så sätt stör de inte sin omgivning.

Tobakskonsumtionen minskar allt mer i i-länderna. Kanske försvinner den helt
en dag. Vem vet?

DISKUTERA: Vilka är de största riskerna med rökning? Finns det några fördelar? Feströker
du? Hur ser man på rökning i ditt land? Varför fortsätter så många att röka trots att de vet
hur farligt det är?

Skratt – rena hälsokuren

Vänner skrattar åt samma saker, skratt smittar säger man. Men visste du att vi också genom skratt blir friskare, effektivare och lever längre? Det anser i alla fall flera forskare.

Redan på medeltiden använde man skratt som terapi, men senare fick allvaret högre status. Nu för tiden talar man återigen om skratt som medicin. I dag finns det sällskap för medicinsk humor och flera företag satsar på skrattkurser som friskvård. Forskare har visat att ett gott skratt sätter igång vissa reaktioner i kroppen. När vi skrattar påverkas andning, blodcirkulation och muskler. Vår smärt- och stresstålighet ökar och vi tänker dessutom mera kreativt.

De stora humoristerna lär oss att skratta åt oss själva, när de visar upp sina egna svagheter. Kanske skrattar vi för att vi känner igen oss, för att vi inte är ensamma eller åtminstone inte lika misslyckade.

Det har dessutom visats att ett bra föredrag bör innehålla 40% humor för att vi ska förstå och komma ihåg så mycket som möjligt av det.

När vi skrattar, sprids adrenalin i kroppen och vi blir vakna och pigga, musklerna slappnar av och vi blir avspända efteråt. Professor William Fry, expert på skrattets effekter, talar till och med om skratt som motion och hävdar att 100 skratt om dagen ger samma effekt som 10 minuters träning på ett gym!

”Ett gott skratt förlänger livet!”

DISKUTERA: Vad skrattar man åt i ditt land? Vilka tv-program är roliga? Vad skrattar du åt? Har män och kvinnor olika humor?
I en populär tidning kunde man för ett tag sedan läsa:”Svenskar skrattar i genomsnitt 6 minuter om dagen”. Tror du att uppgiften stämmer?

UPPSATS: Då skrattade jag!

LÄSTIPS: *Det goda skrattet, en bok om humor och hälsa* av Görel Kristina Näslund

Minns du ordet? 10

Sätt in ordet i rätt form!

gälla	i genomsnitt	illa	en vana	njuta
en inställning	övertyga	dröja	lär	annars

1. Det tog lång tid innan Åsa svarade på brevet.

   Det _____ flera veckor innan Åsa svarade på brevet.

2. Det bästa Daniel vet, är att sova länge på söndagsmorgnarna.

   Han _____ av att kunna sova så länge han vill.

3. Berit tror absolut på att det är fel att äta kött.

   Berit är en _____ vegetarian.

4. Om du inte gör som jag säger, blir jag arg.

   Gör som jag säger, _____ blir jag arg.

5. Vem vill gå omkring och lukta svett och smutsiga kläder?

   Vem vill gå omkring och lukta _____ .

6. Jag har hört folk säga att det är väldigt svårt att sluta röka.

   Det _____ vara väldigt svårt att sluta röka.

7. En typisk svensk äter 5 kg knäckebröd per år.

   Svenskarna äter _____ 5 kg knäckebröd per person och år.

8. Många tycker att dopningen inom idrotten är omoralisk.

   Vad är din _____ till att idrottsmän dopar sig?

9. Vad handlar diskussionen om, frågar Åsa.

   Hon vill veta vad diskussionen _____ .

10. De som bantar måste ändra sitt sätt att äta.

    De som bantar måste skaffa sig nya mat-_____ .

Håll vikten!

Svara kortfattat på frågorna!

1. Hur många människor på jorden bantar?

   _____

2. Varifrån kommer det svenska ordet banta?

   _____

3. Vad betydde det en gång i tiden att vara tjock?

   _____

   _____

4. Hur såg modet ut på 60-talet?

   _____

   _____

5. Hur förändrades det manliga idealet?

   _____

   _____

6. Nämn två metoder som enligt veckotidningarna är bra om man vill banta?

   _____

   _____

7. Vad kan man bland annat göra hos en plastikkirurg?

   _____

   _____

8. Vad är typiskt för specialmaten?

   _____

   _____

9. Vad innebär anorexi?

   _____

   _____

10. Vad innebär megarexi?

    _____

    _____

Alfabetisk ordlista

Ordlistan innehåller ord som finns i lärobokens texter och i övningsboken. Siffrorna anger den sida där ordet först förekommer. Ö framför siffran visar att ordet finns i övningsboken.

A

abdikation -en -er 22
abdikera -r -de -t 22
acceptera -r -de -t 24
adel -n 42
adventsstjärn/a -an -or Ö 81
advokat/son -sonen -söner 24
affärsidé -n -er 58
aggressiv -t -a 87
aktiv -t -a Ö 21
aktuell -t -a 81
akvariefisk -en -ar 87
alkohol -en 9
alkoholist -en -er 65
allergi -n -er Ö 32
allergisk -t -a 79
allmän -t -na 27
alls:
    inte alls 8
alltför 60
allvar -et:
    på allvar 89
allätare -n = 86
alpin -t -a 67
altan -en -er 74
alternativ -et = 84
aluminiumburk -en -ar 75
ambulans -en -er 40
amortering -en -ar 64
andel -en -ar 15
andning -en 91
anförtro -r -dde -tt sig 87
angiv/en -et -na 56
aning -en -ar:
    ingen aning 54
anledning -en -ar 65
anlita -r -de -t 9
anmäl/a -er -de -t sig 41
annars 15
anställ/a -er -de -t 10
anställning -en -ar 21

anställningsintervju -n -er 13
ansvar -et 15
ansvara -r -de -t 15
an/ta -tar -tog -tagit 65
antagligen 40
antal -et = 15
anteckna -r -de -t 42
anteckning -en -ar 70
antik -t -a Ö 41
antiken 19
användning -en -ar 57
ap/a -an -or 33
apparatur -en -er 46
applådera -r -de -t Ö 86
arab -en -er 9
arabisk -t -a 9
arabiska -n 9
arbetsgivare -n = 10
arbetslöshet -en 76
arbetsmarknad -en 10
arbetsro -n Ö 20
arg -t -a 14
argument -et = 74
argumentera -r -de -t 86
arkeolog -en -er 20
arkeologisk -t -a 88
arkitektur -en -er 61
armé -n -er 21
armhål/a -an -or 79
arrestera/d -t -de 42
artik/el -eln -lar 28
artikelseri/e -en -er 40
artist -en -er Ö 86
arv -et = 9
attityd -en -er 76
autograf -en -er 25
automatisk -t -a 46
avbetalning -en -ar 66
av/bryta -bryter -bröt
    -brutit 68
avdelning -en -ar 90

avfall -et Ö 75
avgift -en -er Ö 76
avlid/a -er avled avlidit 42
avlägs/en -et -na 16
avrätta -r -de -t 42
avskaffa -r -de -t 43
avsluta -r -de -t 25
avslutning -en -ar 85
avslöja -r -de -t sig 68
avspän/d -t -da 91

B

baby -n -ar/-er 9
bacill -en -er 9
bageri -et -er 84
baka -r -de -t:
    baka ut 85
bakgrund -en -er 43
baksid/a -an -or 76
balkong -en -er Ö 4
ballad -en -er 80
ballong -en -er 70
ballongfarare -n = 71
ballongfärd -en -er 70
bananskal -et = 40
band -et = 64
bannlyst = -a 86
barbarisk -t -a 20
barndom -en 32
barnhem -met = 34
barnlös -t -a 24
barnvagn -en -ar Ö 16
bas -en -er 60
basera -r -de -t sig 41
be/finna -finner -fann
    -funnit sig 10
befolkning -en -ar 8
befolkningsgenomsnitt -et =
    73
befolkningsökning -en 31

dammsugare -n = 52
dansk -en -ar 8
dator/mus -musen -möss 59
debatt -en -er 32
   väcka debatt 28
del/ta -tar -tog -tagit 32
deltagare -n = Ö 71
delvis 32
deodorant -en -er 79
deppig -t -a 73
designa/d -t -de 57
desperat = -a 16
dess:
   sedan dess 20
dessutom 16
diagram -met = 15
diamet/er -ern -rar Ö 87
digital -t -a 53
digitalisera/d -t -de 53
diktare -n = 50
dinosauri/e -en -er 65
diplomatisk -t -a 24
disk -en 14
diskbänk -en -ar 74
diskmaskin -en -er Ö 7
diskmed/el -let = 74
diskussion -en -er 48
distribution -en -er 60
djurhantering -en 86
djurhud -en -ar 61
djurliv -et = 48
djurtransport -en -er Ö 89
dofta -r -de -t 79
dokumentera -r -de -t 70
dominera -r -de -t 19
dominerande 9
domstol -en -ar 41
donator -n -er 63
dopa -r -de -t 68
dopning -en 68
dopp -et = Ö 56
doppa -r -de -t 84
dra -r drog dragit 15
drakflygning -en Ö 67
driv/a -er drev drivit 70
drog -en -er 75
drottning -en -ar 22

dryckeshorn -et = 88
drygt 27
dröm/ma -mer -de -t Ö 86
dubb/el -elt -la 15
dubba -r -de -t 11
duka -r -de -t:
   duka av 33
duktig -t -a 24
d.v.s., det vill säga 21
dyrbar -t -a 70
därefter 26
däremot 26
därpå 46
dödsannons -en -er 32
dödsstraff -et = 78
döm/d -t -da 42

E

e-post -en 47
effekt -en -er 91
effektiv -t -a 14
efterlys/a -er -te -t 34
eftertänksam -t -ma 28
egentligen Ö 37
ekologisk -t -a Ö 75
ekoturism -en 76
ekoturist -en -er 76
e.Kr., efter Kristus 88
eld -en -ar 42
elegans -en 57
elegant = -a 90
elektricitet -en 78
elektronisk -t -a 41
elektrostatisk -t -a 78
emellertid 76
emigrant -en -er 28
emigration -en 26
ena:
   den ena/andra sidan 7
enda 26
endast 75
endorfin -et -er 73
energikrävande 74
engagera -r -de -t sig 50
engelska -n 9
enk/el -elt -la 32

enkelhet -en 60
enkelt:
   helt enkelt 37
enligt 21
enorm -t -a 28
envis -t -a 60
enväldig -t -a 42
er/bjuda -bjuder -bjöd
   -bjudit sig 24
erfarenhet -en -er 87
erkän/na -ner -de -t 42
er/sätta -sätter -satte -satt 84
ersättning -en -ar 50
estniska -n 21
etablissemang -et 80
ettårskontrakt -et = 27
EU, Europeiska unionen 8
evig -t -a 74
expert -en -er 9

F

fall:
   i så fall 34
fall/a -er föll -it:
   falla någon in 66
falsk -t -a 25
familjeförhållande -t -n 86
famn -en -ar 33
fanatisk -t -a Ö 34
fantombild -en -er 43
far/bror -brodern -bröder 34
farlig -t -a 38
fast = -a 48
fasta -r -de -t 85
fastan 85
fast/er -ern -rar Ö 5
fastlagsbull/e -en -ar 85
fatta -r -de -t 15
fattig -t -a 26
fattigdom -en 50
favoritlag -et = Ö 50
favoritmotiv -et = 57
favoritställe -t -n Ö 50
f.d., före detta 68
felstavning -en -ar 11
festlig -t -a 57

försäljare -en = 46
försäljning -en -ar 84
försök -et = Ö 86
försörj/a -er -de -t sig 26
förtjust = -a 47
   bli/vara förtjust i 80
förtrolla -r -de -t 35
förträfflig -t -a 46
förut 34
förutom 79
förvandla -r -de -t 33
förvara -r -de -t 56
förverkliga -r -de -t sig Ö 68
förvirring -en 42
förvänta -r -de -t sig 48
förälska/d -t -de:
   bli/vara förälskad i 47

G

gal/en -et -na 35
galleri -et -er Ö 61
garage -t = Ö 31
garantera -r -de -t 56
garderob -en -er Ö 65
gatuliv -et = 50
ge -r gav gett/givit:
   ge sig ut 52
   ge upp 37
   ge ut 35
gemensam -t -ma 15
gemenskap -en -er 27
genast 22
generation -en -er 24
genom 70
genom/föra -för -förde -fört
   Ö 71
genomskinlig -t -a 77
geografi -n 35
germansk -t -a 8
gif/ta -ter -te -t sig:
   gifta om sig 17
giftermål -et = 15
gipsa -r -de -t 40
glamorös -t -a 90
glasstillverkning -en -ar 19
glasögon -en 59

glosbok -en glosböcker Ö 61
gnid/a -er gned gnidit 78
gods -et = 27
gorma -r -de -t 86
gott:
   för gott 21
   gott om Ö 43
grammatisk -t -a 6
grammofon -en -er 59
grann/e -en -ar Ö 28
grav -en -ar 22
gravitationsteori -n -er 83
grek -en -er 78
grekisk -t -a 88
grekiska -n 9
grev/e -en -ar 22
grip/a -er grep gripit 40
gris -en -ar 74
grov -t -a 84
grund:
   på grund av 8
grunda -r -de -t 21
grundare -n = 58
grupp -en -er 42
grym -t -ma 33
gräns -en -er 49
gräs -et Ö 21
gräv/a -er -de -t:
   gräva upp 48
gud -en -ar 88
gulaktig -t -a 77
guldmedalj -en -er 67
gullig -t -a 64
gumm/a -an -or Ö 8
gym -met = 68
gympa -r -de -t Ö 88
gympapass -et = 68
gå -r gick gått:
   gå med i 35
   gå till 40
gård -en -ar 27
gås -en gäss 35
gäll/a -er -de -t 14
gäng -et = 55

H

halka -r -de -t 40
halshuggning -en -ar 42
hamn -en -ar 50
hamst/er -ern -rar 87
hand:
   på egen hand 24
   för hand 54
   skaka hand Ö 87
   ta hand om 14
handel -n 77
handelsplats -en -er 9
handfat -et = 14
handflat/a -an -or 79
handgjor/d -t -da 54
handgrädda -r -de -t 84
handla -r -de -t:
   handla om 29
handskakning -en -ar Ö 87
hantverkare -n = 54
harmoni -n -er 9
harmonisk -t -a 17
hastig -t -a 68
hata -r -de -t 42
havregryn -et = 56
havsbott/en -nen -nar 48
hederlig -t -a 86
helst:
   hur lätt som helst 33
hem -met = 57
heminredning -en -ar 57
heminredningsideal -et = 57
hemlighet -en -er 68
hemslöjd -en 57
hemtextil 60
herrgård -en -ar 35
hetsa -r -de -t:
   hetsa upp 14
hetvägg -en -ar 85
hierarki -n -er 60
hiphop Ö 35
hiss -en -ar 59
histori/a -en -er 35
historisk -t -a 48
hitta -r -de -t:
   hitta på Ö 39
hjul -et = 59

hjälm -en -ar Ö 24
hjälp/a -er -te -t:
   hjälpa till 26
hjälpmed/el -let = Ö 79
hjält/e -en -ar 70
hjärnskakning -en -ar 33
hjärta -t -n 88
hobby -n -er Ö 67
holländska -n 22
honung -en 56
hot -et = 76
hota -r -de -t 20
hov -et = 50
hovrätt -en 43
hud -en Ö 80
hugg/a -er högg huggit Ö 21
humorist -en -er 91
humoristisk -t -a 80
hur:
   hur som helst Ö 58
husgeråd -et = 60
husmanskost -en 86
huvudsakligen 29
hygienprodukt -en -er 79
hylla -r -de -t 50
hål -et = 84
håll/a -er höll hållit:
   hålla med 11
   hålla på 54
   hålla rent 26
   hålla sig 84
   hålla sig i form Ö 21
hårddisk -en -ar 46
häcklöpare -n = 68
häcklöpning -en -ar 68
hälften 10
hälsa -r -de -t:
   hälsa på 64
hälsokost -en 84
hälsokur -en -er 91
hälsosam -t -ma Ö 79
hälsotillstånd -et 69
hämta -r -de -t:
   hämta upp 61
händels/e -en -er 24
häng/a -er -de -t:
   hänga med 55

hänga upp 84
härlig -t -a 76
härma -r -de -t 6
häromdagen 15
häst -en -ar 33
hästälskare -n = Ö 34
hävda -r -de -t 57
höftskad/a -an -or 35
hög -en -ar 14
högerhänt = -a 40
höginkomsttagare -n = 65
höglju/dd -tt -dda 28
högtid -en -er 88
höjdpunkt -en -er 81
hön/a -an -or Ö 66
hör/a hör -de-t:
   höra av 86
hörlur -en -ar Ö 5
höststorm -en -ar 77

I

i-land -et i-länder 90
idé -n -er 6
ideal -et = 93
idealisk -t -a Ö 34
idégivare -n = 58
identitet -en -er 55
idérik -t -a 60
idol -en -er 67
idrottstävling -en -ar Ö 32
idyll -en -er 76
igång:
   sätta igång 14
immigrant -en -er 8
imponera/d -t -de 20
imponerande Ö 70
inbjud/an -ningar 13
inbrott -et = 37
indian -en -er 89
individ -en -er 28
indoeuropeisk -t -a 8
industri -n -er 26
industrialisering -en 84
industrialism -en 9
industriell -t -a 57
influens -en -er 9

inflytande -t -n 9
information -en -er 53
inför/a inför -de -t 27
ingenjör -en -er 70
ingenstans Ö 14
initial -en -er 11
initiativ -et = 15
inkomst -en -er 41
inköp -et = 75
inne/bära -bär -bar -burit 15
innehåll -et = 36
innerst 87
innerstad -en innerstäder Ö 61
inom 80
inomhus 61
inre/da -der -dde -tt Ö 62
inredare -n = 57
in/se -ser -såg -sett 35
insekt -en -er 77
inspiration -en -er 32
inspirera -r -de -t 58
inspirera/d -t -de 22
installation -en -er 46
installera -r -de -t Ö 5
inställning -en -ar 86
insändare -n = 86
intellektuell -t -a 90
Internet 47
intervju -n -er 40
intervjua -r -de -t 25
introducera -r -de -t 19
inträffa -r -de -t 37
invig/a -er -de -t 48
inälvor 86
irriterande 46
is -en -ar 61
isbar -en -er 61
ishotell -et = 61
isländsk -t -a 21
isolera/d -t -de 59
italienare -n = 79
ivrig -t -a 46
iväg 14
   ge sig iväg 26

J

jakt -en -er 22
jazz -en 80
jazzklubb -en -ar 90
jord -en -ar 74
jord -en:
   jorden runt Ö 37
jour -en -er:
   ha jour Ö 42
journalist -en -er 28
julklapp -en -ar Ö 81
jämt 14
jäst -en 88
jättesömnig -t -a Ö 78

K

kab/el -eln -lar 46
kaffefläck -en -ar 14
kalv -en -ar Ö 66
kamp -en -er 28
kampanj -en -er 90
kanel -en 85
kanin -en -er 87
karriär -en -er 24
kartong -en -er Ö 75
katalog -en -er 60
katolicism -en 22
katolik -en -er 22
kejsare -n = 21
kejsarinn/a -an -or 35
kemisk -t -a 75
keps -en -ar 9
ketchup -en Ö 78
klaga -r -de -t 14
klampa -r -de -t 54
klappa -r -de -t 42
klappa -r -de -t 87
klar -t -a:
   det är klart 16
   klara färger 57
   klart språk 32
   så klart 34
   vara klar 17
klara -r -de -t:
   klara av 87
   klara sig 30

klara upp 43
klassisk -t -a 84
klimat -et = 59
kläds/el -eln -lar 41
knaperstekt = -a 86
knapp -en -ar 46
knappast 50
knappt 8
knarkare -n = 45
knep -et = 6
knyck/a -er -te -t Ö 67
knä -t/-et -n 87
knäckebröd -et = 84
ko -n -r 27
kol -et 77
kolleg/a -an -or/-er 40
kolonisera -r -de -t 9
komm/a -er kom kommit:
   komma fram 42
   komma hem 64
   komma ihåg 37
   komma på 89
   komma ut 32
kompost -en -er 74
konkurs -en -er 50
konserveringsmed/el -let =
   75
konstig -t -a Ö 9
konstnär -en -er 22
konstnärlig -t -a 80
konstruera -r -de -t 7
konsumera -r -de -t 89
konsumtionssamhälle -t
   Ö 77
kontakt -en -er 48
kontroversiell -t -a 80
konvertering -en -ar 53
kopiera -r -de -t 57
koppla -r -de -t:
   koppla ihop 46
korka/d -t -de 86
korsning -en -ar 43
kosmetisk -t -a 79
kostcirk/el -eln -lar Ö 75
kraft -en -er 78
kraftig -t -a 41
kraschlanda -r -de -t 70

kreativ -t -a 91
krigare -n = 20
kriminalitet -en Ö 41
kringl/a -an -or 47
krissituation -en -er 87
kristallklar -t -a 61
kristendom -en 9
kritik -en 9
krog -en -ar 50
krokus -en -ar 85
kronprins -en -ar 24
krukväxt -en -er 74
krydd/a -an -or 85
krya -r -de -t:
   krya på sig 41
kryp/a -er kröp krupit:
   krypa upp 34
kräv/a -er -de -t 46
krönik/a -an -or 21
kul/a -an -or 43
kultur -en -er 76
kulturell -t -a 22
kund -en -er 60
kungahus -et = 22
kungsgård -en -ar 29
kunskap -en -er 83
kurskamrat -en -er 82
kust -en -er 77
kvalitet -en -er 55
kvarlev/a -an -or 77
kvarter -et = 43
kvm = kvadratmeter 61
kväv/a -er -de -t Ö 90
kyl -en -ar 56
kyl/a -er -de -t 19
kyrkgång -en -ar 16
kyrklig -t -a 17
kåda -n 77
käll/a -an -or 47
källare -n = Ö 5
kändis -en -ar 22
kän/na -ner -de -t sig 23
   känna igen 23
   känna igen sig 23
   känna till 23
   lära känna 23
känsl/a -an -or 32

101

kär:
    bli/vara kär i 47
kärlek -en -ar 24
kärnfamilj -en -er 17
köp -et = 47
köpcent/er -ret = Ö 50
köp/man -mannen -män 47

L

ladda -r -de -t 78
lagring -en -ar 53
land -et:
    på landet 26
landområde -t -n 20
lantarbetare -n = 27
lantbrukare -n = 28
lantlig -t -a 57
lasta -r -de -t:
    lasta in Ö 21
latin -et 9
le/da -der -dde -tt:
    leda till 85
ledare -n = 24
legend -en -er 57
lek -en -ar 33
lekrum -met = 60
leksak -en -er 15
lertavl/a -an -or 88
levande 29
lexikon -et = 7
lid/a -er led lidit 35
lidande -t -n 86
lig/a -an -or 45
likadan -t -a 17
likhet -en -er 25
likna -r -de -t 8
liksom 46
lita -r -de -t 59
livlig -t -a 32
livsmed/el -let = 75
livstid -en 41
livvakt -en -er 43
ljus -et = 60
lock -et = 85
locka -r -de -t 32
lojal -t -a 33

lokal -en -er 41
lokal -t -a 76
lokalbefolkning -en -ar 76
lopp -et = 68
loppmarknad -en -er 66
lott -en -er 65
lotteri -et -er 66
lov -et = 17
LP-skiv/a -an -or 80
luft -en 76
lugn -et 52
    i lugn och ro Ö 82
lugn -t -a:
    ta det lugnt 14
lukta -r -de -t 66
luktfri -tt -a 79
lus -en löss 26
lussekatt -en -er 85
luv/a -an -or 34
lycka -n 26
lycka/s -s -des -ts 14
lycklig -t -a 73
lyckogen -en -er 73
lyf/ta -ter -te -t 78
lyrisk -t -a 50
låd/a -an -or 54
låginkomsttagare -n = 65
lån -et = 64
lånord -et = 9
lås/a -er -te -t 42
låt/a -er lät låtit 24
läd/er -ret 54
läg/er -ret = 70
lägg/a -er la/lade lagt sig:
    lägga ner 28
    lägga ut 79
läkemedelsindustri -n -er 73
lämna -r -de -t:
    lämna in 37
    lämna tillbaka 37
lämplig -t -a 74
längd -en -er 41
    i längden 54
längdåkning -en Ö 70
längs 76
läpp -en -ar 90
läppstift -et = Ö 8

lär (presens ind.) 90
lär/a lär -de -t sig:
    lära in 6
lär/d -t -da 9
läsare -n = 32
läsning -en -ar 29
lättskötthet -en 57
löjtnant -en -er 24
löp/a -er -te -t:
    löpa en risk 69
lös/a -er -te -t sig 74
lösenord -et = Ö 48
lösning -en -ar 17
löv -et = Ö 80

M

madrass -en -er 9
magasin -et = 9
magisk -t -a 78
mal/a mal -de -t 90
mandelmassa -n 85
mark -en 40
markant = -a 90
marsvin -et = 87
maräng -en -er 16
mask -en -er 42
mask -en -ar 74
maskerad -en -er 42
maskinell -t -a 90
matavfall -et 74
material -et = 54
matvar/a -an -or 27
medarbetare -n = 70
meddela -r -de -t 68
meddelande -t -n 34
medellivslängd -en -er 69
medellängd -en 41
medelsvensk -en -ar 83
medeltiden 9
medelålders 41
medhjälpare -n = 42
media/medier (plural) 43
medicinalväxt -en -er 85
medkänsla -n 87
medlem -men -mar 75
medverka -r -de -t 81

medvet/en -et -na 75

melodi -n -er 6

mening -en -ar Ö 12

mer:
   mer eller mindre 3

mesta:
   det mesta 15

metall -en -er 57

meteorolog -en -er Ö 46

metod -en -er 93

midnatt -en 43

militär -en -er 24

miljonär -en -er 65

miljö -n -er 22

miljöförstöring -en 74

miljömärkt = -a 82

miljömässig -t -a 48

miljöprövning -en -ar 48

miljövänlig -t -a 76

millennieskifte -t -n 59

mindre:
   mer eller mindre 3

mineral -et -er 77

minneskrävande 46

minsann Ö 16

minska -r -de -t 15

missbruk -et = 65

missbrukare -n = 45

missförstånd -et = Ö 15

misshandel -n 41

misslycka/d -t -de 91

misslycka/s -s -des -ts 82

missnöj/d -t -da 42

misstag -et = 66

misstänk/a -er -te -t 37

mjöd -et 88

mjöl -et 84

mjölka -r -de -t 27

mjölkförpackning -en -ar 74

mjölkko -n -r Ö 66

m.m., med mera 15

mobba -r -de -t 55

mode -t -n 54

modell -en -er 46

modem -et = Ö 5

modern -t -a 54

modersmål -et = 8

modig -t -a 32

monarki -n -er 75

monstertjur -en -ar Ö 89

moral -en 37

mord -et = 42

mordplats -en -er 43

motgång -en -ar 68

motivera -r -de -t 59

motsvara -r -de -t 88

motsvarande 7

motsägelsefull -t -a 41

muntlig -t -a 13

musikal -en -er 28

musk/el -eln -ler 91

musteri -et -er 83

myllrande 50

mystisk -t -a 39

mytologi -n -er 9

må -r -dde -tt:
   må illa 86

måla/d -t -de 57

målande 50

måltid -en -er 85

mått -et = 47

måttenhet -en -er 47

mängd -en -er 29

märk/a -er -te -t 54

märke -t -n:
   lägga märke till 41

märkeskläder 55

mät/a -er -te -t 54

möbelstil -en -ar 58

möblera/d -t -de 57

möjlighet -en -er 12

möjligtvis 85

mönst/er -ret = 9

mörda/d -t -de 42

mördare -n = 43

mörk/er -ret 43

N

nag/el -eln -lar 88

narkoman -en -er 65

narkotika -n 48

nationalsång -en -er Ö 48

naturskildring -en -ar 50

naturskön -t -a 76

naturtillgång -en -ar Ö 77

navigationsinstrument -et = 20

nazism -en 28

nedan 19

nedanför 14

negativ -t -a 78

nivå -n -er 7

njut/a -er njöt njutit 76

njutningsmed/el -let = 88

Nobelpris -et -er 36

noga 74

noggran/n -t -na 70

nordbo -n -r 8

nordisk -t -a 8

normal -t -a 76

norr/man -mannen -män 8

nuförtiden 10

numera 15

nuvarande 24

nyans -en -er 77

nybyggare -n = 28

nyfik/en -et -na Ö 39

nytt:
   på nytt 84

nytta -n:
   dra nytta av Ö 79

nyttig -t -a 84

någonsin 34

någonstans 66

nämn/a -er -de -t 53

nära 27

näring -en Ö 90

närma -r -de -t 29

närvarande 42

nätet = Internet 52

nödvändig -t -a 68

O

oavsett 11

objektiv -t -a 29

obligatorisk -t -a 26

obs!, observera! 13

ockupera -r -de -t 21

odla -r -de -t 83

offentlig -t -a 57

officerare -n = 24
officiell -t -a 8
oförskämdhet -en -er 80
olyck/a -an -or 40
olycksdag -en -ar 34
olympisk -t -a 67
omedelbar -t -a 42
omgivning -en -ar 76
omodern -t -a 54
omoralisk -t -a 92
omskaka -r -de -t 56
om/sätta -sätter -satte -satt 76
omvärlden 59
omväxlande 17
omväxling -en -ar 66
ond 33
   de onda 33
ont:
   ont om 17
onödig -t -a 11
operativsystem -et = 46
operera -r -de -t 40
opersonlig -t -a 76
opålitlig -t -a Ö 21
ordentlig -t -a 14
order -n = 15
ordförråd -et = 32
ordonnansavdelning -en -ar 34
orimlig -t -a Ö 21
orm -en -ar 87
oroa -r -de -t:
   oroa sig över 48
orättvis -t -a 28
orättvis/a -an -or 28
o.s.v., och så vidare 41
otrog/en -et -na 66
otrolig -t -a 33
ovan Ö 19
overall -en -er 9
ovänta/d -t -de 13
oväsen -det 34

P

packning -en -ar 36
pant -en -er 75
papegoj/a -an -or 6

papperscontain/er -ern -rar
   74
parallell -t -a 90
parfym -en -er 79
parfymera -r -de -t Ö 79
parkeringsplats -en -er 37
partner -n = 66
passa -r -de -t 58
passa -r -de -t Ö 83
   passa på Ö 83
passiv -t -a 90
peka -r -de -t 14
   peka ut 43
penicillin -et 59
penn/a -an -or 9
period -en -er 9
personlig -t -a Ö 58
perspektiv -et = 14
pingvin -en -er 16
pip/a -an -or 90
pirat -en -er 20
pistill -en -er 85
pistol -en -er 42
pittoresk -t -a 76
placera -r -de -t sig 69
plan -et = 48
planera -r -de -t 37
plast -en -er 78
plastförpackning -en -ar Ö 76
plastikkirurg -en -er 93
plastkass/e -en -ar 59
plastpås/e -en -ar 74
platsannons -en -er 10
plocka -r -de -t 77
plugga -r -de -t 6
plånbok -en plånböcker Ö 49
plötslig -t -a 24
poet -en -er 50
polarexpedition -en -er 70
polarforskare -n = 70
polisanmäl/d -t -da 44
poliskontroll -en -er 13
polismästare -n = 42
politiker -n = 22
politisk -t -a 22
populär -t -a 81
portugis -en -er 79

positiv -t -a 14
post -en -er 9
potatisskal -et = Ö 75
praktisk -t -a 14
preparat -et = 68
president -en -er 11
presidentvalskampanj -en -er
   11
press -en 14
prestanda -n 46
primitiv -t -a 76
prins -en -ar 33
prissumm/a -an -or 63
privat = -a 60
privatbilism -en 75
privilegi/um -et -er 42
problem -et = Ö 11
processor -n -er 46
produkt -en -er 11
professionell -t -a 45
projekt -et = 70
promenad -en -er Ö 34
propaganda -n 22
propell/er -ern -rar 33
prostituera/d -t -de 35
protein -et -er Ö 90
protest -en -er 48
protestantisk -t -a 22
protestantism -en 24
protestera -r -de -t 28
prova -r -de -t Ö 50
prydnadsföremål -et = 77
pryl -en -ar 65
prägel:
   sätta sin prägel på 80
präst -en -er 35
publik -en 80
pud/er -ret Ö 79
punktering -en -ar Ö 11
putsa -r -de -t 54
påbörja -r -de -t 48
påföljd -en -er 41
påpeka -r -de -t Ö 58
på/stå -står -stod -stått 66
påstående -t -n 19
påv/e -en -ar 22
påverka -r -de -t 86

päls -en -ar 20

R

rad:
  i rad 67
rad -en -er 24
raffinera/d -t -de Ö 79
ramla -r -de -t Ö 67
rast -en -er Ö 30
rattfylleri -et 41
reagera -r -de -t 43
reaktion -en -er 86
realistisk -t -a 64
rebell -en -er 80
recensera -r -de -t 60
reda:
  hålla reda på 46
  ta reda på 59
reg/el -eln -ler Ö 17
regelbund/en -et -na 28
regent -en -er 22
reklam -en (-er) 10
rekord -et = 9
relation -en -er 50
religion -en -er 22
religiös -t -a 35
ren -t -a 37
rengöringsmed/el -let = 79
rensa -r -de -t 85
reportage -t = 22
resmål -et = 76
respekt -en 32
respektera -r -de -t 55
respektfull -t -a 76
respektive 69
rest -en -er 64
resultat -et = 65
returpapper -et 75
revolution -en -er 24
rid/a -er red ridit 22
riddare -n = 33
rik -t -a 69
rimlig -t -a 58
risk -en -er 90
riskera -r -de -t 68
ritual -en -er 88

ro -n:
  i lugn och ro Ö 82
rofyll/d -t -da 87
roman -en -er 7
romantisk -t -a 16
rosig -t -a Ö 56
rubrik -en -er 15
rulla -r -de -t 90
rull/e -en -ar 90
rullskridsko -n -r 48
rumstemperatur -en -er 56
russin -et = 85
rustik -t -a 57
rå -tt -a 70
rågmjöl -et 84
rån -et = 41
rått/a -an -or 26
räck/a -er -te -t 38
  det räcker Ö 31
räkna -r -de -t 9
räkskal -et = 74
ränt/a -an -or 64
rätt 17
rätta -r -de -t:
  rätta till 46
rättvis -t -a Ö 16
rättvisa -n 15
röj/a -er -de -t 29
rök -en -ar 78
rökare -n = 90
rökfri -tt -a 90
rökförbud -et = 90
röntga -r -de -t 40
rör/a rör -de -t 40
röra -n 86
rösta -r -de -t 27
rösträtt -en 27

S

saffran -en/-et 85
sagoberättare -n = 32
sakna -r -de -t 70
salpeter -n 19
samband -et = 69
  i samband med 88
samhälle -t -n 9

samhällsfråg/a -an -or 75
samhällskritisk -t -a 80
samhörighet -en 37
samla -r -de -t Ö 87
samling -en -ar 35
sammansatt = -a Ö 19
sammansättning -en -ar Ö 19
samtala -r -de -t 22
samvete -t -n 17
sandslott -et = Ö 82
sanning -en -ar 31
satsa -r -de -t 48
SCB, Statistiska Central-
  byrån 15
scen -en -er 13
se -r såg sett:
  se sig för Ö 24
  se till 42
sed -en -er 76
seg/er -ern -rar 68
sekt -en -er 35
semesterförväntning -en -ar
  Ö 21
semesterplan -en -er 13
semestra -r -de -t 76
seml/a -an -or 85
sensuell -t -a 80
seri/e -en -er 10
servett -en -er 60
signalement -et = 41
silverkann/a -an -or 66
simma -r -de -t Ö 21
sjukvård -en 75
sjunk/a -er sjönk sjunkit 89
sjö/man -mannen -män 80
s.k., så kalla/d -t -de 11
skad/a -an -or 17
skada -r -de -t (sig) 32
skada/d -t -de 41
skadegörels/e -en -er 41
skadlig -t -a Ö 79
skaldjur -et = Ö 90
skallig -t -a 41
skandal -en -er 22
skapa -r -de -t 42
ske -r -dde -tt 42
skepp -et = 20

skeppshövding -en -ar 21
skev -t -a 46
skidtävling -en -ar Ö 70
skiftnyck/el -eln -lar 59
skildra -r -de -t 50
skildring -en -ar 50
skillnad -en -er 6
skilsmäss/a -an -or 15
skiv/a -an -or Ö 87
skiva -r -de -t Ö 87
skjut/a -er sköt skjutit 42
skolavslutning -en -ar 32
skolmatsal -en -ar 84
skomakare -n = 9
skott -et -en 43
skrift -en -er 21
skriftlig -t -a 13
skrik/a -er skrek skrikit Ö 83
skriv/a -er skrev skrivit:
   skriva in 54
   skriva ner 32
skryt/a -er skröt skrutit 33
skräddare -n = 9
skräm/ma -mer -de -t 65
skrämmande 37
skräp -et Ö 76
skulptur -en -er 61
skyddstillsyn -en 41
skyltfönst/er -ret = 40
skådespelare -n = Ö 34
skådespelersk/a -an -or
   Ö 34
skägg -et = 41
skäl -et = 48
skämtsam -t -ma 11
skära skär skar skurit (sig):
   skära till 54
skärm -en -ar 46
skölj/a -er -de -t:
   skölja ur 74
skörd -en -ar 26
sköt/a -er -te -t 27
sladd -en -ar 46
slalomåkare -n = 67
slappna -r -de -t:
   slappna av 91
slav -en -ar 19

slipp/a -er slapp sluppit 64
slit/a -er slet slitit:
   slit och släng Ö 77
slit/en -et -na 54
slumpvis -t -a 65
slut:
   i slutet av 48
   till slut 37
slutsats -en -er 15
slå -r slog slagit sig:
   slå i 54
   slå igenom 58
   slå in Ö 67
   slå sönder Ö 59
   slå upp 33
släd/e -en -ar 70
släng/a -er -de -t 34
   slit och släng Ö 77
släpp/a -er -te -t 40
slösa -r -de -t:
   slösa bort 64
smak -en -er 56
smak/sätta -sätter -satte -satt
   85
smeknamn -et = 11
smink -et 79
smitta -r -de -t 91
smuggling -en -ar 48
smuts -en 34
smycke -t -n 20
smyg/a -er smög smugit 86
smålänning -en -ar 60
småningom:
   så småningom 43
småsak -en -er 60
smältvatt/en -net 61
snabb -t -a 6
snabel-a 47
snar -t -a 65
snatteri -et -er 41
snickare -n = 9
snobb -en -ar 55
snubbla -r -de -t 40
snus -et 90
snöblock -et = 61
snökanon -en -er 61
social -t -a 90

sojabiff -en -ar 86
sojabön/a -an -or Ö 90
soldattorp -et = 28
solig -t -a Ö 21
solljus -et 56
solnedgång -en -ar Ö 34
solur -et = 59
somliga 37
sommartorp -et = Ö 42
sommarvis/a -an -or 32
sop/a -an -or 15
sopberg -et = Ö 77
sophämtning -en Ö 76
sopsortera -r -de -t 75
sopsortering -en 74
soptunn/a -an -or Ö 78
spalt -en -er Ö 19
spanjor -en -er 79
spanska -n 9
spara -r -de -t:
   spara ihop 26
sparsam -t -ma 60
sparsamhet -en 60
spektakulär -t -a 48
spel -et = 46
spela -r -de -t:
   spela bort 65
   spela in 64
spets -en -ar 16
spika -r -de -t 54
spill/a -er -de -t 14
spind/el -eln -lar 87
spinnande 87
spraya -r -de -t 79
spri/da -der -dde/spred spritt/
   spridit (sig) 57
spring/a -er sprang sprungit:
   springa efter 40
spy -r -dde -tt 86
spä/da -der -dde -tt 56
spänning -en -ar Ö 39
spökhistori/a -en -er 38
stank -en -er 74
starksprit -en 16
start -en -er 9
starta -r -de -t 60
statare -n = 27

statistik -en -er 41
statskupp -en -er 42
statsminist/er -ern -rar 43
status -en 69
sten -en -ar 40
sticka -r -de -t 34
stig/a -er steg stigit:
   stiga in 54
   stiga ur 40
stil -en -ar 55
stimulera -r -de -t 90
stimulerande 22
stink/a -er stank 79
stipendi/um -et -er 81
stjärn/a -an -or 67
stjärnfall -et = 51
stormakt -en -er 22
straff -et = 41
strand -en stränder 59
strax 14
strejk -en -er 9
stress -en 14
stressa -r -de -t 14
stresstålighet -en 91
struktur -en -er 6
strunta -r -de -t:
   strunta i 54
stryk/a -er strök strukit 16
   stryka under 56
sträck/a -an -or Ö 71
ström -men -mar 70
strömma -r -de -t:
   strömma in 81
studi/e -en -er 69
stug/a -an -or 54
stycken (plural) Ö 87
styrk/a -an -or 88
styrketräna -r -de -t 68
stå -r stod stått:
   stå rätt till 40
stång -en stänger 84
ställ/a -er -de -t 54
   ställa upp 41
   ställa ut 57
ställe -t -n 15
stäm/ma -mer -de -t 47
ständig -t -a 68

stäng/a -er -de -t:
   stänga av 41
stärk/a -er -te -t 37
stöd/ja -(j)er -de stött 70
stöld -en -er 41
subjektiv -t -a 29
suddgummi -t -n Ö 30
summ/a -an -or 9
surdeg -en -ar 84
svaghet -en -er 91
svamla -r -de -t 86
svett -en 66
svält/a -er svalt/svälte svultit/
   svält 26
sväng/a -er -de -t 54
svärd -et = Ö 30
syfte -t -n 37
symbol -en -er 47
syn:
   få syn på 40
   ha olika syn på 65
syre -t 77
syrgas -en Ö 68
syssel/sätta -sätter -satte -satt
   Ö 82
såpoper/a -an -or 40
såväl:
   såväl ... som 65
säg/a -er sa/sade sagt:
   säga till 34
säk/er -ert -ra 16
säkra -r -de -t 22
säl -en -ar 70
säljare -n = 66
sällskap -et = 91
   ha sällskap Ö 31
sällskapsdjur -et = 87
sällsynt = -a 88
sätt -et = 8
sätt/a -er satte satt sig:
   sätta igång 14
   sätta ihop 60
   sätta in 64
söderut Ö 59
sök/a -er -te -t 26

T

ta -r tog tagit:
   ta efter 57
   ta emot 76
   ta fram 69
   ta med sig 19
   ta sig över 48
   ta upp 7
tag:
   få tag i 89
tal:
   ett 30-tal 60
   på 1050-talet 9
tala -r -de -t:
   på tal om 54
   tala om 14
tall/art -arten -arter 77
tandborst/e -en -ar 59
tank/e -en -ar 24
tankeverksamhet -en -er 90
tappa -r -de -t Ö 28
teaterpjäs -en -er 28
teateruppsättning -en -ar 81
teck/en -net = 42
telegraf -en -er 9
tema -t -n 81
tennisspelare -n = 67
tent/a -an -or 14
teologi -n 22
teori -n -er 43
terapi -n 91
termin -en -er 9
testamente -t -n 63
t.ex., till exempel 9
textil -en -er 57
textilier 57
textilindustri -n -er 27
tid -en -er:
   förr i tiden 84
   i alla tider 37
   komma i tid 59
   på senare tid 35
tidigare 58
tidlös -t -a 54
tidvis 81
tillfälle -t -n 11
   för tillfället 33

tillfällig -t -a 89
tillfällighet -en -er 32
tillgrepp -et = 41
tillgång -en -ar:
  ha tillgång till 43
tillhör/a tillhör -de -t 8
tillplatta/d -t -de 86
tillre/da -der -dde -tt 56
tillräcklig -t -a 22
tillsats -en -er 75
till/sätta -sätter -satte -satt 89
tillträde -t -n:
  få tillträde till 29
tillvaro -n 66
tillverka -r -de -t 54
tingsrätt -en 43
tips -et = 7
tjatande -t 74
tjänst -en -er 75
toalettborst/e -en -ar 60
toff/el -eln -lor 54
tolka -r -de -t 15
tolkning -en -ar 29
t.o.m., till och med 80
ton -en -er Ö 4
ton -et = 61
tonårs/dotter -dottern
  -döttrar 86
topp -en -ar 89
torka -r -de -t 54
  torka av Ö 83
torn -et = 49
torr -t -a 56
torr/lägga -lägger -lade -lagt
  48
total -t -a 48
trafik -en 9
tralla -r -de -t 11
transistor -n 59
trapp/a -an -or Ö 5
trasig -t -a Ö 61
trend -en -er 60
trendkänslig -t -a 55
trikinförgiftning -en -ar 70
tron -en -er 24
tronföljare -n = 22
tronföljd -en -er 22

trovärdighet -en 37
tryckpress -en -ar 59
trygg -t -a 17
trång -t -a 26
trä -et 57
träbott/en = -nar 54
tränare -n = 68
träng/as -s -des -ts Ö 86
träningsdisciplin -en 68
träsko -n -r 44
träslag -et = 57
tröttna -r -de -t 55
tugga -r -de -t 84
tumm/e -en -ar Ö 68
tunn/el -eln -lar 48
tur:
  i sin tur 15
tura/s -s -des -ts:
  turas om 26
turistattraktion -en -er 57
turistindustri -n -er 76
turistström -men -mar 76
tvinga -r -de -t 24
tvärtom 66
tvättmaskin -en -er 25
tydlig -t -a 46
tyll -en 16
typ -en -er 12
tyska -n 9
tystlåt/en -et -na 67
tyvärr 15
täck/a -er -te -t 50
tändstick/a -an -or 59
tävla -r -de -t 67
tävling -en -ar 59

U

ugn -en -ar Ö 76
under/hålla -håller -höll
  -hållit 37
underhållare -n = 50
underkläder 36
undersökning -en -ar 17
undre 48
und/vika -viker -vek -vikit 14
ungdom -en -ar 9

union -en -er 24
upp/finna -finner -fann
  -funnit 59
uppfinning -en -ar 59
uppfostran 22
uppför 16
uppgift -en -er 35
uppgradera -r -de -t 46
upplev/a -er -de -t 76
upplösning -en -ar 46
uppmärksamhet -en 80
uppsats -en -er Ö 11
uppskatta -r -de -t 61
uppskattning -en 50
uppväxt -en 17
utantill 23
utbilda -r -de -t sig 35
utbildning -en -ar 17
utbytesstudent -en -er 8
utdö/d -tt -da 77
ute/sluta -sluter -slöt -slutit 10
utedass -et = 27
utflyktskorg -en -ar Ö 82
utför/a utför -de -t 42
ut/gå -går -gick -gått 69
utländsk -t -a 9
utmana -r -de -t Ö 68
utnyttja -r -de -t 73
utomhus 16
utropa -r -de -t 16
utrotningshota/d -t -de 76
utrustning -en -ar 64
ut/se -ser -såg -sett 59
  utse till 29
utseende -t -n 41
utslag/en -et -na 90
utspela -r -de -t sig 33
utställning -en -ar 57
ut/sätta -sätter -satte -satt 56
uttryck -et = 7
uttråka/d -t -de 40
utval/d -t -da 65
utvandra -r -de -t 35
utvandrare -n = 28
utveckla -r -de -t 26
utvidga -r -de -t 29
utåt Ö 55

utåtrikta/d -t -de 67

V

vaccin -et = 31
vak/en -et -na Ö 78
valross -en -ar 70
valspråk -et = 24
van/a -an -or 89
vandringssäg/en -nen -ner 37
vanilj -en 89
vanligen 60
vanligtvis 28
vara -r -de -t 27
vara är var varit:
   vara med i 62
vardaglig -t -a 9
vare:
   tack vare 89
varels/e -en -er 86
variera -r -de -t 8
varna -r -de -t 37
varning -en -ar 42
vars 17
varsam -t -ma 56
varva -r -de -t:
   varva ner Ö 21
ved -en Ö 21
vegan -en -er 86
vegetarian -en -er 86
vegetarisk -t -a 87
verk -et:
   i själva verket 48
verk -et = 28
verkstad -en verkstäder 54
verklig -t -a 35
verktyg -et = 84
version -en -er 51
vete -t 27
vetenskaps/man -mannen
   -män 22
via 21
video -n -r 9
videoklipp -et = 46
vigs/el -eln -lar 17
vik/a -er vek vikit/vikt 6
vikt -en -er 41

vil/d -t -da 16
vilj/a -an -or 68
vill/a -an -or 37
vind -en -ar 54
vinka -r -de -t Ö 86
vinst -en -er 65
vintersportgren -en -ar 68
vips 74
viruslarm -et = 37
vis/a -an -or 50
visa -r -de -t 12
   visa upp 60
vispa -r -de -t 85
vissa 9
visserligen 15
visst Ö 16
vista/s -s -des -ts 84
vistels/e -en -er 89
vitlök -en -ar Ö 79
vitlökskaps/el -eln -lar Ö 79
vittne -t -n 41
volym -en -er 56
vore = skulle vara 14
våga -r -de -t 7
vårdnad -en 15
våt -t -a Ö 22
väg -en:
   ta vägen 34
vägra -r -de -t 22
väl 48
välbetal/d -t -da Ö 49
välklä/dd -tt -dda Ö 58
vän/da -der -de -t Ö 68
vänj/a -er vande vant sig:
   vänja sig vid 28
väntan:
   i väntan på Ö 86
vär/d -t -da 48
värdefull -t -a 55
värdelös -t -a 66
värld -en -ar 34
världskrig -et = 26
världsmästare -n = 67
världsmästerskap -et = 67
värm/a -er -de -t sig 61
värme -n Ö 21
väsk/a -an -or 33

västerut 20
väte -t 77
vätgas -en 70
väx/a -er -te -t/vuxit:
   växa upp 17
växt -en -er 77
växtriket Ö 89

Y

yt/a -an -or 8

Å

åk/er -ern -rar 26
århundrade -t -n 9
årlig -t -a 50
årtusende -t -n 59
åsikt -en -er Ö 80
åt 91
återberätta -r -de -t 13
återförslut/a -er återförslöt
   återförslutit 56
åter/ge -ger -gav -gett/-givit
   29
återigen 91
återlämna -r -de -t 75
åter/ta -tar -tog -tagit 24
åter/vinna -vinner -vann
   -vunnit 56
återvinning -en 74
åtminstone 10

Ä

äg/a -er -de -t 65
ägna -r -de -t 79
äkta 78
äktenskap -et = 15
älg -en -ar Ö 64
älska/d -t -de 50
än:
   än i dag 56
ända:
   ända till 21
äng -en -ar 16
ännu 21

ärende -t -n 75
ärlig -t -a 66
   ärligt talat Ö 43
ärt/a -an -er/-or Ö 78
ättling -en -ar 24
äventyr -et = 33
äventyrare -n = 80
äventyrlig -t -a 70

Ö
öde 51
öde -t -n Ö 68

ödl/a -an -or 87
öka -r -de -t 15
önska -r -de -t 51
österut 21
östkust -en 21
överallt 67
överens: 73
   komma överens 42
över/ge -ger -gav -gett/-givit
   76
övergiv/en -et -na 51
över/gå -går -gick -gått:
   övergå till 22

överklass -en 9
överkänslig -t -a 79
övernaturlig -t -a 39
över/sätta -sätter -satte -satt
   11
översättning -en -ar Ö 11
övertyga -r -de -t 86
övertygande 46
övning -en -ar 6
övre 48
övrig -t -a 8

Textkällor

Vi tackar rättighetsinnehavarna för tillstånd att använda följande upphovsrättsskyddat material:

Lindgren, Astrid: ur *Mio, min Mio,* Raben & Sjögren 1954
Moberg, Vilhelm: ur förordet till *Min svenska historia,* Norstedts Förlag AB 1970
Vreeswijk, Cornelis: ur *Somliga går med trasiga skor* © 1968 Multitone AB adm. Warner/
  Chapell Music Scandinavia AB

Bildkällor

IBL, Ljungbyhed 43, 70
  Smith, Dan Tobin/Science Photo Library 61
  Rex Features Ltd 67
Helander, Annika 77
Ikea Catalogue Services AB, Älmhult 58
Nationalmuseum, Stockholm 22, 24, 48, 57
Parada, Mai 55
Pressens Bild AB, Stockholm 35, 57
  Collsiö, Jan 80
  EPU 67
  Nyberg, Lars 60
  Stadener, Sam 77
Tiofoto AB, Stockholm
  Adlercreutz, Rolf 32
  Hammarskiöld, Hans 28
  Roos, Lars Peter 91
Øresund BilledArkiv, Vision, Frederiksberg, Danmark 48

Liber Kartor, Liber AB, Stockholm 71